M 166 Köpf *Märendichtung*
M 167 Ebert *Historische Syntax d. Deutschen*
M 168 Bernstein *Literatur d. deutschen Frühhumanismus*
M 169 Leibfried/Werle *Texte z. Theorie d. Fabel*
M 170 Hoffmeister *Deutsche u. europ. Romantik*
M 171 Peter *Friedrich Schlegel*
M 172 Würffel *Das deutsche Hörspiel*
M 173 Petersen *Max Frisch*
M 174 Wilke *Zeitschriften des 18. Jahrhunderts I: Grundlegung*
M 175 Wilke *Zeitschriften des 18. Jahrhunderts II: Repertorium*
M 176 Hausmann *François Rabelais*
M 177 Schlütter *Das Sonett*
M 178 Paul *August Strindberg*
M 179 Neuhaus *Günter Grass*
M 180 Barnouw *Elias Canetti*
M 181 Kröll *Gruppe 47*
M 182 Helferich *G. W. Fr. Hegel*

REALIEN ZUR LITERATUR
ABT. D:
LITERATURGESCHICHTE

FRIEDHELM KRÖLL

Gruppe 47

MCMLXXIX
J. B. METZLERSCHE VERLAGSBUCHHANDLUNG
STUTTGART

CIP-Kurztitelaufnahme der Deutschen Bibliothek

Kröll, Friedhelm:
[Gruppe siebenundvierzig]
Gruppe 47 / Friedhelm Kröll. –
Stuttgart: Metzler, 1979.
(Sammlung Metzler: M 181: Abt. D,
Literaturgeschichte)
ISBN 3-476-10181-9

ISBN 3 476 10181 9

M 181

 · Druck: Gulde-Druck, Tübingen
Printed in Germany

Inhaltsverzeichnis

Mehrfach zitierte Literatur:

Almanach: Almanach der Gruppe 47. 1947–1962. Hrsg. v. Hans Werner Richter, Reinbek 1962 (zit. nach der 3. Aufl. 1964).

Handbuch: »Die Gruppe 47«. Bericht – Kritik – Polemik. Ein Handbuch. Hrsg. v. Reinhard Lettau, Neuwied–Berlin 1967.

Kröll, Gruppe 47: Friedhelm Kröll, Die »Gruppe 47«. Soziale Lage und gesellschaftliches Bewußtsein literarischer Intelligenz in der Bundesrepublik, Stuttgart 1977.

1. Vorbemerkung

Offiziell wurde die Gruppe 47 im Herbst 1977 durch eine knappe Geste ihres Mentors Hans Werner Richter für aufgelöst erklärt. Als Treffpunkt für den offiziösen Schlußakt wurde Saulgau gewählt. Hier hatte die Gruppe 1963 schon einmal eine Tagung, die 25., abgehalten.

Die gestensparsame Auflösungserklärung der Gruppe 47 erinnerte einen Augenblick lang an ihren Ursprung. Sie kam auf den literaturgeschichtlichen Weg als eine locker strukturierte Vereinigung von Literaten, denen die großen literarisch-intellektuellen Gesten fremd, denen Literatur als Kultveranstaltung zuwider und denen ein auratisch gehüteter Literaturbegriff allenfalls Anlaß zu einer trocken-eindeutigen Abwehrreaktion waren. Allein die gegenauratische Ursprungsspur wurde in der Folge immer unkenntlicher, bis sie endlich durch eine neue, spezifisch bundesdeutsche Spur literarischer Aura, erzeugt durch die sozial-kulturelle Erfolgsgeschichte der Gruppe, überdeckt worden ist. Im vollen Glanz des erworbenen Status traf die Gruppe zu Mitte der sechziger Jahre der Bannstrahl spontaneistischer Kultur- und Literaturkritik. Vorher, zumal in den fünfziger Jahren, hatte die konservative Kulturkritik unfreiwillig mit dazu beigetragen, das Sozialprestige der Gruppe 47 zu steigern. Nach ihrer letzte Tagung 1967 in der Pulvermühle verschwand die Gruppe merkwürdig rasch und anscheinend spurlos aus der literarischen Szene und alsbald auch aus dem öffentlichen Gedächtnis. Das Abschiedstreffen 1977 in Saulgau war kaum mehr als ein später, gleichsam gruppenfamiliärer Nachhall auf ein schon zehn Jahre zuvor beendetes Kapitel bundesdeutscher Literatur- und Intellektuellen-Geschichte, deren Verkörperung die Gruppe 47 war.

Mit der Tagung in der Pulvermühle 1967 ging nicht nur die Realgeschichte der Gruppe 47 zu Ende. Dieses Datum markiert symptomatisch die Neige des »belletristischen Zeitalters« der Bundesrepublik. Es sei dahingestellt, ob das »belletristische Zeitalter« zu Mitte der sechziger Jahre nur zu einem vorläufigen Abschluß gekommen ist; manche Anzeichen sprechen inzwischen für die Herausbildung einer »zweiten belletristischen Epoche«. Unzweifelhaft jedoch, daß die sozio-ökonomischen und organisatorischen Grundlagen des bundesdeutschen literarischen Marktes seither entscheidend in Richtung auf Monopolisierung sich gewandelt haben. Die Gruppe 47 jedenfalls hatte die unwiderruflich entschwundene literarische Marktstruktur der »ökonomischen Kleinbetriebe und mittleren Firmen« zur Entwicklungsgrundlage.

Zwischen 1967 und 1977 liegen gesellschaftliche Vorgänge, die daran mitgewirkt haben, daß die Gruppe 47 gleichsam in der Versenkung verschwunden ist. Zu diesen Vorgängen gehört die spektakuläre Parole vom »Tod der Literatur« ebenso wie die weniger spektakuläre, dafür um so wirksamere Tendenz der gewerkschaftlichen Orientierung und Organisierung der bundesdeutschen literarischen Intelligenz. Aufgrund dieser Prozesse erscheint es, als sei das literaturhistorische Kapitel Gruppe 47 eine Geschichte aus ferner Zeit, literarisch-intellektuelle Lichtjahre von der Problem- und Tendenzkonstellation der Gegenwart entfernt.

Es lohnte die Mühe, die Ursachen für die Verdrängung der Gruppe 47 aus dem gewöhnlichen belletristischen Bewußtsein zu rekonstruieren. So viel sei hier vermerkt: die Gruppe 47 zu einem literaturhistorischen Sachverhalt von bloß archivarischem Interesse herabzustufen, hieße, weder der Literaturgeschichte noch der Literatursoziologie einen Dienst erweisen. Pointiert ließe sich sagen, die Aktualität der Geschichte der Gruppe 47 und ihrer Folgen gründet im Schein bloßer Historizität. Daß positivistisches, d. h. geschichtsnaives Bewußtsein auch dort, wo man es am wenigsten erwarten mag, zu Hause ist, nämlich im gesellschaftlichen Bewußtsein der literarischen Intelligenz ebenso wie in den wissenschaftlichen Disziplinen, die den Literaturprozeß zum Gegenstand haben, mag überraschen und darf füglich am schmalen Umfang an systematischen Untersuchungen zur Gruppe 47 abgelesen werden.

Vor diesem defizitären Hintergrund versteht sich dieser Band als ein Versuch, die Gruppe 47 aus der archivarischen Entrücktheit herauszuziehen und ihre Relevanz innerhalb der bundesdeutschen Literaturentwicklung zu umreißen. Mit dem problemgeschichtlichen Abriß ist das Interesse verknüpft, die einzelnen wissenschaftlichen Disziplinen zu weiterer Forschung anzuregen, um die Defizite auf diesem wichtigen Untersuchungsgebiet abzutragen.

2. Zum Problem der Gegenstandsbestimmung

Der Gruppenüberlieferung zufolge stammt die Namensgebung von Hans Georg Brenner, einem Publizisten und Literaturkritiker aus dem Gründerkreis. Er lieferte den heute fast vergessenen Traditionsbezug für den Kreis, der unter dem Namen Gruppe 47 Literaturgeschichte mitgeschrieben hat. In der spanischen *»Generación de 98«*, einer literarisch-kulturellen Erneuerungsbewegung, glaubte Brenner, eine geeignete historische Parallele gefunden zu haben. Sie schien ihm als Bezugspunkt geeignet, weil sie sich konstituiert hatte als geistige Antwort auf den verlorenen Krieg Spaniens gegen die USA (1898), weil die von der Gruppe »Generación de 98« intendierte Bewegung darauf abzielte, die spanische Kultur und Literatur aus ihrer provinziellen Isolierung zu lösen und sie wieder in den Bewegungszusammenhang der Weltliteratur einzuführen, und endlich weil sie sich nicht als radikal-aufbruchgestimmte, jugendbewegte Revolte verstanden hatte, sondern als Zusammenschluß historisch ernüchterter Intellektueller. Mit Verweis auf diese historische Parallele, wie windschief sie auch immer sein mochte, hatte der »Taufpate« Brenner einige Charakterzüge der sich herausbildenden Gruppe 47 zutreffend angedeutet.

Ein Jahr nach ihrer Konstituierung prägte der Publizist Gunter Groll in einem Kommentar zur 3. Tagung in Jugenheim die Standarddefinition der Gruppe 47, die von da ab zum festen Bestandteil ihrer öffentlichen Selbstdarstellung gehörte. Er definierte sie als eine »Gruppe, die keine Gruppe ist« (Groll 1948, S. 31). Das Stichwort lieferte ihm Hans Werner Richter, der gegenüber Journalisten klarstellte: »Eigentlich ist die Gruppe gar keine Gruppe. Sie nennt sich nur so« (ebd., S. 31).

Jene zur Lieblingsformel geronnnene Definition eignete sich für die Gruppenangehörigen vorzüglich dazu, je nach Bedarf die Existenz ihrer Gruppe einzubekennen oder zu dementieren. Der interpretatorische Faden von der Gruppe 47 als *Fiktion* ist nie abgerissen. Die Umdeutung des konkreten Gruppencharakters in eine sphärische Erscheinung hatte Folgen. So unhaltbar auch die mythisierende Gruppendefinition war, sie hat sich bis heute wirksam gezeigt. Die Legende einer soziologischen Fiktion hat wesentlich mit dazu beigetragen, daß die Literatur- und Sozialwissenschaften von der Gruppe 47 als genuin literaturhistorischem Sachverhalt so spärlich Forschungsnotiz genommen haben. Es kommt hinzu, daß die akademische Literaturwissenschaft sich eher angeheimelt zu fühlen scheint von einer »Welt der Literatur«, in der der Literaturprozeß als das Resultat vereinzelt-einzelner literarischer Subjektivitäten erscheint, als daß einbekannt wird, daß die Literaturentwicklung der Bundesrepublik wesentlich geprägt worden ist von einer *sozialen Gruppe*, ein Sachverhalt, dem das anrüchige Stigma der »Kollektivität« anhaftet.

Selbst im Umkreis von Literaturwissenschaftlern, die weit davon entfernt scheinen, dem tradierten Literatur- und Schriftstellerbild aufzusitzen, hat die Fiktions-Legende kaum an Wirkkraft eingebüßt. So etwa bei Volker Wehdeking, »Eine deutsche Lost Generation?« (1977). Die folgenreiche Schwierigkeit im Umgang mit der Gruppe 47 liegt darin, daß einerseits unreflektiert an der Fiktions-Legende weitergesponnen wird, andererseits aber bei konkreten Analysen unversehens der Zwang sich einstellt, die Gruppe 47 eben doch als das zu nehmen, was sie im strikten soziologischen Sinn war, nämlich eine Gruppe.

Im Wege der Rekonstruktion von Realien zur Gruppe 47 selbst wird sich begründen, daß die These von der Fiktion einen Kernbestandteil der gruppentypischen Ideologie bildete. Es darf an dieser Stelle vorausgeschickt werden, was in einer literatursoziologischen Studie entwickelt worden ist: die Gruppe 47 war im strikten soziologischen Sinn eine literarische Gruppe informaler Natur, sie besaß ein gruppenspezifisches ideologisches Profil und verfügt über einen bestimmten Begriff von Literatur. Allerdings wurde dies weder in Programm- noch in Manifestform verkündet (Kröll, Gruppe 47). Im Fehlen einer formalen Organisationsstruktur (Satzung u. ä.) und eines ästhetischen sowie politisch-ideologischen Programms expliziter Art drückte sich nichts anderes als der besondere Typus einer literarisch-künstlerischen Vereinigung aus. Just auf der soziostrukturellen Basis einer informellen Vereinigung entwickelte die Gruppe 47 ihre Gestalt und Funktion als *Organ* bundesdeutscher Literaturentwicklung. In dieser Eigenschaft prägte sie eine Epoche bundesdeutscher Literatur-, Kultur- und allemal indirekt auch politischer Geschichte mit.

Ausgewählte Beschreibungs- und Definitionsversuche der »Gruppe 47«:

Arnold Bauer, Literarische Öffentlichkeit. In: Die Neue Zeitung v. 11. 5. 1949 (= in: Handbuch, S. 265–270).

Percy Eckstein, Deutsche Schriftsteller von heute. In: La Fiera Letteraria, Rom, v. 20. 2. 1948 (= in: Handbuch, S. 259–264).

Armin Eichholz, Der Skorpion hat nicht gestochen – »Gruppe 47« nach zehn Jahren. In: Münchner Merkur v. 1. 10. 1957.

Hans M. Enzensberger, Die Clique (1962). In: Almanach, S. 22–27.

Heinz Friedrich, Vereinigung junger Autoren. In: Hessische Nachrichten v. 22. 9. 1948 (= in: Handbuch, S. 261–264).

Gunter Groll, Die Gruppe, die keine Gruppe ist. In: Süddeutsche Zeitung v. 10. 4. 1948 (= in: Handbuch, S. 31–36).

Jürgen von Hollander, Wer und was ist die Gruppe 47? In: Die Neue Zeitung v. 16. 5. 1950 (= in: Handbuch, S. 276–278).

Ruth Rehmann, Was ist das für ein Verein? (1962). In: Almanach, S. 428–433.

Hans Werner Richter, Fünfzehn Jahre (1962). In: Almanach, S. 8–14.

Hans Werner Richter, Kurs auf neue Erde. In: Westfälische Rundschau v. 2./3. 3. 1963.

Volker Wehdeking, Eine deutsche Lost Generation? Die 47er zwischen Kriegende und Währungsreform. In: Literaturmagazin 7 (1977), S. 145–166.

Aus der Sicht von DDR-Literaturhistorikern:

Günter Cwojdrak, Gruppe 47 anno 62 (1963). In: Cwojdrak, Eine Prise Polemik. Sieben Essays zur westdeutschen Literatur, Halle 1968, S. 63–77.

Heinz Plavius, Zwischen Protest und Anpassung. Westdeutsche Literatur. Theorie – Funktion, Halle 1970, S. 5–56.

3. Zur Forschungslage

Eine von der Gruppenlegende ungetrübte Sicht, deren die Forschung vorweg bedarf, ist nur zu gewinnen, wenn das Phänomen Gruppe 47 als soziologisch-kulturhistorischer Sachverhalt anerkannt wird. Unter diesem Leitgesichtspunkt gliedert sich die Gruppe 47 ein in die Sozialgeschichte literarisch-künstlerischer Gruppen *informaler* Natur. Während mit Friedhelm Krons Studie, »Schriftsteller und Schriftstellerverbände« (1976), eine umfassende Sozialgeschichte *formaler* Organisationsbildungen der literarischen Intelligenz vorliegt, gibt es für die Geschichte informaler Gruppenbildung keine vergleichbare Studie. Die spezifische Entwicklung der Gruppe 47 böte einen geeigneten Ansatz, eine solche Darstellung im Rahmen einer Sozialgeschichte der deutschen bzw. bundesdeutschen Literatur unter Berücksichtigung der wechselseitigen Beeinflussung formaler und informaler Organisationen und Gruppen zu leisten.

Theoretische Keime und Ansätze für eine systematische Rekonstruktion der Geschichte literarisch-künstlerischer Gruppenbildung auf nicht-statutorischer Grundlage finden sich bei Levin L. Schükking, Soziologie der literarischen Geschmacksbildung (1961), Friedrich H. Tenbruck, Freundschaft (1964), Pierre Bourdieu, Zur Soziologie der symbolischen Formen (1970), René König, Das Selbstbewußtsein des Künstlers zwischen Tradition und Innovation (1974), Friedhelm Kröll, Die Eigengruppe als Ort sozialer Identitätsbildung (1978).

In soziologischer Sicht stellt sich die Gruppe 47 in ihrer entfalteten Gestalt dar als eine *sozial-kulturelle* Institution innerhalb des bundesdeutschen literarischen Marktes. Den sozialen Kern bildet eine informal strukturierte Gruppe von Personen bzw. Angehörigen von Berufen, die das Ensemble der Tätigkeitsstruktur des literarischen Marktes reflektierten. Den literar-historischen Kristallisationskern bildeten die zwischen 1947 und 1967 regelmäßig, an verschiedenen Orten stattfindenden Zusammenkünfte bzw. Arbeitstagungen der Gruppe. Die chronologische Abfolge der Tagungen bietet sich zur Strukturierung des historischen Abrisses an. Bisher liegt noch keine systematische Tagungs-Chronik vor. Eine solche würde einen kaum zu unterschätzenden Beitrag zur Erhellung der facettenreichen Sozialgeschichte der Literatur der Bundesrepublik leisten. Um einen Einstieg in die Geschichte der Tagungen, Stationen des Weges der Gruppe 47, zu erleichtern, ist der Chronologie eine

Auswahl zeitgenössischer Berichterstattung und Kommentierung der einzelnen Tagungen beigegeben, die noch auf ihre literaturhistorische und kommunikations-wissenschaftliche, quellen- und methodenkritische Auswertung warten. Diese Materialien fungieren als historischer Quellenersatz, insofern es seitens der Gruppe keine authentischen schriftlichen Verlautbarungen und Unterlagen gibt. Die angeführte, im wesentlichen feuilletonistische Bericht- und Kommentarliteratur, deren Titel Vor-Auskunft geben, entstammt durchweg der Feder von Gruppenmitgliedern oder zeitgenössischen Beobachtern am Rande der Gruppenszene.

Hieraus resultiert der in methodologischer Hinsicht eigentümliche Doppelcharakter dieser interpretatorischen Betrachtungen. Sie stellen einerseits unverzichtbare Informationsquellen zur Entwicklungsgeschichte der Gruppe 47 dar, die quellenkritischer Aufarbeitung bedürfen. Andererseits bergen diese eher punktuell-problembezogenen Betrachtungen zugleich theoretische Ansätze und methodische Hinweise zur Rekonstruktion des Gesamtphänomens Gruppe 47.

Diesem Doppelcharakter der vorliegenden Kommentare zur Gruppe 47, nämlich Dokument und theoretisch-methodisches Potential, hat jede Forschung, gleich ob literatur- oder sozialwissenschaftlicher Natur, vorweg inne zu werden, um eine differenzierende Verarbeitung der darin enthaltenen Dimensionen authentischer Berichterstattung, persönlich und zeithistorisch bedingter Wertung und analytischem Deutungsgehalt zu ermöglichen. Gegenüber der Fülle solcher zeitgenössischer Betrachtungen ist der Anteil retrospektiver Analysen gering.

Zu den »indirekten« Dokumenten gehören neben den genannten Pressematerialien eine Reihe von Funkmanuskripten, Fernsehaufzeichnungen sowie zeitgenössische, unpublizierte und publizierte Interviews mit Gruppenmitgliedern. Einen wesentlichen Fundus an dokumentarischem Material enthält das Privatarchiv Hans Werner Richters.

Literatur- und Sozialwissenschaftler, die in Zukunft das Thema Gruppe 47 aufgreifen, sollten versuchen, noch zwei weitere dokumentarische Quellen zu erschließen, deren Ergiebigkeit sicher hoch ist, die aber nicht einfach zugänglich sind. Es handelt sich dabei einmal um Brief-Korrespondenzen zwischen Mitgliedern der Gruppe 47, zum anderen um bandprotokollierte Mitschnitte von Lesung und Kritik einer Reihe von Gruppentagungen, die, soweit sie nicht gelöscht worden sind, in einer Reihe von bundesdeutschen Rundfunkanstalten noch lagern. Ein literaturhistorisch und -theoretisch besonders interessantes Material dürften die persönlichen Aufzeichnungen und Notizen sein, die eine Reihe von Kritikern sich während der Lesungen auf den Tagungen als Grundlage für ihre kritischen Interventionen gemacht haben. Wissenschaftler, die in Zukunft mit der Gruppe 47 sich beschäftigen, sollten die Bereitschaft erkunden, diese losen Niederschriften einsehen zu dürfen.

Die komplizierte Material- und defizitäre Forschungslage, die letztlich nicht nur der Indifferenz der einschlägigen wissenschaftlichen Disziplinen, sondern auch dem Charakter der Gruppe 47 selbst geschuldet sind, scheint sich in jüngster Zeit zu ändern. Nach Kenntnis des Verfassers sind derzeit eine Reihe systematischer literaturwissenschaftlicher Untersuchungen zu Problemzusammenhängen im Umkreis des Phänomens Gruppe 47 in Arbeit.

Insgesamt zeigt das breite Forschungsgebiet »Gruppe 47« ein noch wenig strukturiertes Mosaik von Bausteinen und Bausteinchen, die auf ihre systematische Behandlung warten.

Zur Soziologie literarischer Gruppen:

Pierre Bourdieu, Zur Soziologie der symbolischen Formen, dtsch. Frankfurt 1970.

René König, Das Selbstbewußtsein des Künstlers zwischen Tradition und Innovation. In: Künstler und Gesellschaft, hrsg. v. A. Silbermann und R. König, in: Kölner Zeitschrift für Soziologie und Sozialpsychologie (1974), Sonderheft 17, S. 341–353.

Friedhelm Kröll, Die Eigengruppe als Ort sozialer Identitätsbildung. Motive des Gruppenanschlusses bei Schriftstellern. In: Deutsche Vierteljahrsschrift für Literaturwissenschaft und Geistesgeschichte, Jg. 52 (1978), S. 652–671.

Levin L. Schücking, Soziologie der literarischen Geschmacksbildung, Bern 1961 (3. neu bearb. Auflage).

Friedrich H. Tenbruck, Freundschaft – Ein Beitrag zu einer Soziologie der persönlichen Beziehungen. In: Kölner Zeitschrift für Soziologie und Sozialpsychologie, Jg. 16 (1964), S. 431–456.

Materialien zur Gruppe 47:

Almanach der Gruppe 47. 1947–1962. Hrsg. von *Hans Werner Richter,* Reinbek 1962.
[Der Band enthält neben analytischen Skizzen eine interessante Auswahl von Texten, die in der Gruppe 47 gelesen worden sind, einschließlich der preisgekrönten Manuskripte.]

Die Gruppe 47. Bericht, Kritik, Polemik – Ein Handbuch. Hrsg. von *Reinhard Lettau,* Neuwied–Berlin 1967.

Darstellungen zur Gruppe 47:

Heinrich Böll, Angst vor der Gruppe 47? In: Merkur Jg. XIX (1965), (= in: Handbuch, S. 389–400).

Helmut Heißenbüttel, Nachruf auf die Gruppe 47. In: Literaturbetrieb in Deutschland. Hrsg. von Heinz Arnold, München 1971, S. 33–39.

Friedhelm Kröll, Die »Gruppe 47«. Soziale Lage und gesellschaftliches Bewußtsein literarischer Intelligenz in der Bundesrepublik, Stuttgart 1977.

Dieter Lattmann, Stationen einer literarischen Republik. In: Die Literatur der Bundesrepublik Deutschland. Hrsg. von Dieter Lattmann, München 1973. Abschnitt: Die Gruppe 47, S. 82–98.

Hans Werner Richter, Wie entstand und was war die Gruppe 47? Antworten an Friedhelm Kröll – Ein subjektiver Bericht über die Entwicklung der deutschen Nachkriegsliteratur und meine persönlichen Begegnungen, Erlebnisse, Überzeugungen und Ideen zwischen 1945–1968, (Vierteiliges Sendungsmanuskript, Bayerischer Rundfunk), 1974.

Richters Richtfest [Titelgeschichte], Der Spiegel, Jg. 16 (1962), (= in: Handbuch, S. 290–309).

Rolf Schroers, Gruppe 47 und die deutsche Nachkriegsliteratur, in: Merkur Jg. XIX (1965), (= in: Handbuch, S. 371–389).

4. Chronologie der Tagungen (mit ausgewählter Bibliographie)

(Die mit [L] versehene Literatur ist als Wiederabdruck zugänglich in: Die Gruppe 47. Ein Handbuch, hrsg. von Reinhard Lettau, Berlin 1967.)

1. Tagung:
September 1947 in Bannwaldsee
Maria Eibach [Pseud.], Ein bedeutungsvolles Treffen. In: Die Epoche v. 28. 9. 1947, (L) S. 21–23.

2. Tagung:
November 1947 in Herrlingen
Heinz Friedrich, Hat die junge Dichtung eine Chance? In: Die Epoche v. 23. 11. 1947, (L) S. 25–27.
Friedrich Minssen, Notizen von einem Treffen junger Schriftsteller. In: Frankfurter Hefte Jg. 3 (1948), (L) S. 27–30.
Sh., [wahrscheinlich Hans J. Soehring], Gruppe 47: Zusammenschluß junger Autoren. In: Die Neue Zeitung v. 7. 11. 1947, (L) S. 24–25.

3. Tagung:
Frühjahr 1948 in Jugenheim
Gunter Groll, Die Gruppe, die keine Gruppe ist. In: Süddeutsche Zeitung v. 10. 4. 1948, (L) S. 31–36.
Georg Hensel, Gruppe 47 macht keine geschlossenen Sprünge. In: Darmstädter Echo v. 8. 4. 1948, (L) S. 36–39.

4. Tagung:
Herbst 1948 in Altenbeuren
[Tagungsberichte konnten nicht ermittelt werden.]

5. Tagung:
Frühjahr 1949 in Marktbreit
en., [Name konnte nicht ermittelt werden], Junge Literatur in der Selbstkritik – Das Treffen der Gruppe 47 in Marktbreit. In: Darmstädter Echo v. 5. 5. 1949.
Friedrich Minssen, Avantgarde und Restauration. In: Frankfurter Rundschau v. 5. 5. 1949, (L) S. 40–42.
H. R. Münnich, [Horst Mönnich?], Tagung der Gruppe 47. In: Süddeutsche Zeitung v. 7. 5. 1949, (L) S. 42–44.

6. Tagung:
Herbst 1949 in Utting
Wolfgang Bächler, ›Die Gruppe 47 am Ammersee‹ – Realistische Diskussionen realistischer Schriftsteller. In: Frankfurter Freie Presse, Dezember-Ausgabe 1949.
Herbert Hupka, Die Gruppe 47, Münchner Rundfunk v. 22. 10. 1949, (L) S. 46–48.

7. Tagung:
Frühjahr 1950 in Inzigkofen
Albrecht Knaus, Die Meistersinger von Inzigkofen. In: Die Neue Zeitung v. 16. 5. 1950, (L) S. 52–57.

8. Tagung:
Frühjahr 1951 in Bad Dürkheim
Albrecht Knaus, Pegasus 47 wurde in Bad Dürkheim vorgeführt – Bemerkungen zu einer literarischen Tagung. In: Die Neue Zeitung v. 9. 5. 1951.
Ernst Theo Rohnert, Symposion junger Schriftsteller. In: Das literarische Deutschland v. 20. 5. 1951, (L) S. 58–63.
Heinz Ulrich, Dichter unter sich. In: Die Zeit v. 24. 5. 1951, (L) S. 63–65.

9. Tagung:
Herbst 1951 in Laufenmühle
Armin Eichholz, Welzheimer Marginalien. In: Die Neue Zeitung v. 27./28. 10. 1951, (L) S. 69–71.

10. Tagung:
Frühjahr 1952 in Niendorf
Hans Georg Brenner, Ilse Aichinger – Preisträgerin der Gruppe 47. In: Die Literatur v. 1. 6. 1952, (L) S. 72–77.
Heinz Friedrich, Die Gruppe 47. In: Deutsche Kommentare v. 14. 6. 1952, (L) S. 77–79.

11. Tagung:
Herbst 1952 auf Burg Berlepsch
Rolf Schroers, Junge Deutsche Schriftsteller. In: Frankfurter Allgemeine Zeitung v. 7. 11. 1952, (L) S. 81–84.

12. Tagung:
Frühjahr 1953 in Mainz
Horst Mönnich, Lobst du meinen Goethe, lob ich deinen Lessing! In: Sonntagsblatt v. 7. 7. 1953, (L) S. 85–87.

13. Tagung:
Herbst 1953 in Bebenhausen
Heinz Friedrich, Gruppe 47 – Anno 1953. In: Hessische Nachrichten v. 26. 10. 1953, (L) S. 93–96.
Rolf Schroers, Dichter unter sich. In: Frankfurter Allgemeine Zeitung v. 23. 10. 1953, (L) S. 90–93.

14. Tagung:
Frühjahr 1954 in Cap Circeo/Italien
Armin Eichholz, Thomas Manns Lob und das Geldverdienen. In: Münchner Merkur v. 4. 5. 1954, (L) S. 97–103.
Heinz Friedrich, Deutsche Schriftsteller am Cap Circeo – Frühjahrstagung der »Gruppe 47« in Italien. In: Darmstädter Tageblatt v. 18. 5. 1954.

15. Tagung:
Herbst 1954 auf Burg Rothenfels
Heinz Friedrich, Gruppe 47 am herbstlichen Main. In: Hessische Nachrichten v. 21. 10. 1954, (L) S. 104/5.

16. Tagung:
Frühjahr 1955 in Westberlin
Christian Ferber, Frühjahrstagung der »Gruppe 47« – Weil es keine geistige Metropole mehr gibt, reisen die Dichter um sich zu treffen. In: Die Welt v. 17. 5. 1955.
Fritz J. Raddatz, Wiedersehen mit der Gruppe 47. In: Neue Deutsche Literatur, Juli 1955, (L) S. 110–113.

17. Tagung:
Herbst 1955 in Bebenhausen
Christian Ferber, Man war sich selten einig. In: Die Welt v. 17. 10. 1955, (L) S. 114/15.

18. Tagung:
Herbst 1956 in Niederpöcking
Hans Schwab-Felisch, Dichter auf dem ›elektrischen Stuhl‹. In: Frankfurter Allgemeine Zeitung v. 1. 11. 1956, (L) S. 116–120.
Peter Hornung, Was man erlebt, wenn man zu jungen Dichtern fährt. In: Neue Presse Passau v. 16. 11. 1956, (L) S. 120–122.
Helmut Heißenbüttel, Bericht über eine Tagung der Gruppe 47. In: Texte und Zeichen Jg. 2 (1956), S. 654–656.

19. Tagung:
Herbst 1957 in Niederpöcking
Arnold Bauer, Hier kann jeder seine Meinung sagen. In: Der Kurier/Berlin v. 5./6. 10. 1957, (L) S. 120–128.
Joachim Kaiser, Zehn Jahre Gruppe 47. In: Frankfurter Allgemeine Zeitung v. 2. 10. 1957, (L) S. 123–125.

20. Tagung:
Herbst 1958 in Großholzleute
Joachim Kaiser, Die Gruppe 47 lebt auf. In: Süddeutsche Zeitung v. 5. 11. 1957, (L) S. 137–139.
Klaus Mampell, Literaturmesse in Großholzleute – Treffen der Gruppe 47. In: Stuttgarter Zeitung v. 6. 11. 1958.
Marcel Reich-Ranicki, Eine Diktatur, die wir befürworten. In: Die Kultur v. 15. 11. 1958, (L) S. 139–142.

21. Tagung:
Herbst 1959 in Elmau
Peter Hornung, Zuviel Manager und zuwenig Dichter. Zur diesjährigen Tagung der »Gruppe 47« auf Schloß Elmau. In: Deutsche Tagespost v. 4. 11. 1959.
Rudolf W. Leonhardt, Die Gruppe 47 und ihre Kritiker. Schriftsteller, Verleger und Rezensenten auf Schloß Elmau. In: Die Zeit v. 30. 10. 1959.

Klaus Wagenbach, Gruppen-Analyse. In: Frankfurter Hefte Jg. 14 (1959), (L) S. 150–155.

22. Tagung:

Herbst 1960 in Aschaffenburg

Heinz Friedrich, Die Avantgarde tritt kurz. Zur Herbsttagung der Gruppe 47. In: Rheinische Post v. 8. 11. 1960.

Helmut Heißenbüttel, Und es kam Uwe Johnson. In: Deutsche Zeitung v. 10. 11. 1960, (L) S. 156–158.

Joachim Kaiser, Der Klimmzug des Zaunkönigs. Die Jahrestagung der »Gruppe 47« in Aschaffenburg. In: Süddeutsche Zeitung v. 8. 11. 1960.

Bettina Neustadt, Autoren und Kritiker. In: Frankfurter Rundschau v. 11. 11. 1960.

23. Tagung:

Herbst 1961 in Göhrde

Fritz J. Raddatz, Eine Woche der Brüderlichkeit. In: Die Kultur Jg. 10, Nov. 1961, (L) S. 163–166.

Wolfdietrich Schnurre, Seismographen waren sie nicht. In: Die Welt v. 3./4. 1961, (L) S. 159–163.

24. Tagung:

Herbst 1962 in Westberlin

Wolfdietrich Schnurre, Verlernen die Erzähler das Erzählen? In: Die Welt v. 31. 10. 1962, (L) S. 169–174.

Hans Schwab-Felisch, Die Grenzüberschreitung als Literatur. In: Der Tagesspiegel v. 30. 10. 1962, (L) S. 167–169.

25. Tagung:

Herbst 1963 in Saulgau

Hans Dieter Baroth, Enttäuschungen und Erwartungen. Vier Tage mit der »Gruppe 47« in Saulgau. In: Frankfurter Rundschau v. 31. 10. 1963.

Hanspeter Krüger, Wer dazu gehört bleibt Geheimnis. In: Der Tagesspiegel v. 1. 11. 1963, (L) S. 185–188.

Jost Nolte, Selten waren die Momente der Wahrheit. In: Die Welt v. 31. 10. 1963, (L) S. 180–184.

26. Tagung:

Herbst 1964 in Sigtuna/Schweden

Franz Schonauer, Literarische Werkstatt am Mälarsee – Kommentar zur diesjährigen Tagung der »Gruppe 47« in Sigtuna (Schweden). In: Frankfurter Rundschau v. 18. 9. 1964.

Hans Schwab-Felisch, Lesungen am Mälarsee. In: Frankfurter Allgemeine Zeitung v. 17. 9. 1964, (L) S. 197–202.

27. Tagung:

Herbst 1965 in Westberlin

Christian Ferber, »Alles was geschieht, geht dich an«. In: Die Welt v. 23. 11. 1965, (L) S. 206–209.

Reinhold Kréile, Hartes Urteil – ein Freundschaftsdienst. Der Schweizer Peter Bichsel erhält den Preis der Gruppe 47. In: Münchner Merkur v. 23. 11. 1965.
Marcel Reich-Ranicki, Nichts als deutsche Literatur. In: Die Zeit v. 3. 12. 1965, (L) S. 209–217.

28. Tagung:
Frühjahr 1967 in Princeton/USA
Joachim Kaiser, Drei Tage und ein Tag. In: Süddeutsche Zeitung v. 30. 4. 1966, (L) S. 219–225.
Gabriele Wohmann, Die Siebenundvierziger in Princeton. Im Fluge notiert. In: Darmstädter Echo v. 3. 5. 1966.
Dieter E. Zimmer, Gruppe 47 in Princeton. In: Die Zeit v. 6. 5. 1966, (L) S. 225–236.

29. Tagung:
Herbst 1966 in der Pulvermühle
Christian Ferber, Corpsgeist – im Fränkischen besiegelt? Zwanzig Jahre »Gruppe 47«: Eine literarische Tagung, eine Resolution und Anmerkungen dazu. In: Die Welt v. 9. 10. 1967.
Heinz Friedrich, Jagdszenen aus Oberfranken. Zur Tagung der Gruppe 47. In: Neue Zürcher Zeitung v. 14. 10. 1967.
Hellmuth Karasek, Gruppentest in der Pulvermühle. In: Stuttgarter Zeitung v. 14. 10. 1967.
Hans Schwab-Felisch, Gedächtnistagung ohne Pathos. Die »Gruppe 47« hat sich seit Princeton erholt. In: Frankfurter Allgemeine Zeitung v. 10. 10. 1967.
Gabriele Wohmann, All you need ist ... Literature. Die Gruppe 47 tagt in der Pulvermühle. In: Darmstädter Echo v. 11. 10. 1967.

Die Gruppe 47 hielt zwei Arbeitstagungen »außer der Reihe« mit medienspezifischen Schwerpunkten ab:

Frühjahr 1960:
Hörspieltagung in Ulm
Gerhard Mauz, Wie wird sich das Hörspiel arrangieren? In: Die Welt v. 3. 6. 1960, (L) S. 248–251.

Frühjahr 1961:
Fernsehspieltagung in Sasbachwalden
René Drommert, Elfenbeinturm und Fernsehen. In: Die Zeit v. 21. 4. 1961, (L) S. 252–255.

Vor dem Horizont der Tagungschronologie ist auf die in jüngster Zeit entfachte Diskussion zur Periodisierungsfrage der deutschen Nachkriegsliteratur zu verweisen (vgl. Schäfer, zur Periodisierung der deutschen Literatur seit 1930, 1977). An einer Bezugnahme auf die Entwicklungsetappen der Gruppe 47 jedenfalls, gleich ob man gesellschaftlichen, politischen oder literarisch-kulturellen Kriterien das Primat zuweist, kann eine Periodisierung der Nachkriegsliteratur nicht vorbeigehen.

Die für den vorliegenden Abriß vorgenommenen Zäsuren, die für Wendemarken stehen, haben ihre Begründung in gruppenimmanenten Verläufen. Schematisierende Gliederungen tun dem Realprozeß bis zu einem gewissen Grad Gewalt an. Deshalb ist darauf hinzuweisen, daß der Gruppenprozeß einen integrierten Zusammenhang darstellt, in Wendepunkten zugleich fließende Übergänge sich geltend machen. Daß bestimmte Zäsuren, begründet von der inneren Entwicklungsgeschichte der Gruppe 47 her, zusammenfallen mit gesamtgesellschaftlichen Einschnitten, mag kaum überraschen. Die gruppenimmanente Chronifizierung geht von der allemal relativen Determination des Gruppenprozesses durch gesamtgesellschaftliche Strukturprozesse aus, ohne aber die Eigengesetzlichkeit der Gruppenentwicklung zu eskamotieren. Einen mechanistischen Kausalnexus zwischen gesamtgesellschaftlicher und Entwicklung der Gruppe 47 wünscht der Abriß nicht zu konstruieren; er geht von einer dialektischen Wechselwirkung aus, wobei dem gesamtgesellschaftlichen Realprozeß in letzter Instanz das Primat zugemessen wird.

Hans Dieter Schäfer, Zur Periodisierung der deutschen Literatur seit 1930. In: Literaturmagazin 7 (1977), S. 95–115.

5. Zur Vorgeschichte der Gruppe 47

Die Vorgeschichte der Gruppe 47 ist rekonstruierbar über die Biographien des »Gründerkreises« um Alfred Andersch, Walter Kolbenhoff und Hans Werner Richter. Aufgrund ihrer sozialbiographischen Nähe bildeten sie eine gemeinsame Gruppenwurzel. Sie gehörten zur antifaschistischen, sozialistisch motivierten, später linksexistenzialistisch eingefärbten Tradition, die auf der literarischen Ebene in der Anknüpfung an realistische Schreibpositionen sich reflektierte. Charakteristisches Merkmal war ihr Literarisches Schweigen während des Faschismus; d. h., sie hatten – wenn überhaupt – nicht in Deutschland publiziert.

Einflußreich für die Genese der Gruppe 47 wurde eine fast unmerkliche Verwebung des genannten Kreises mit Autoren, die – wenn auch nur am Rande des deutschen Literaturbetriebes – zwischen 1933 und 1945 publiziert hatten; hierzu gehörten unter anderen so unterschiedliche Autoren wie Hans Georg Brenner, Wolfdietrich Schnurre und Wolfgang Weyrauch.

In der Diskussion zur Frage der Kontinuität bzw. der Diskontinuität der Literaturentwicklung sind in letzter Zeit eine Reihe von Untersuchungen erschienen, die den Mythos des völligen Bruchs 1933 bzw. des völligen Neuanfangs nach 1945 destruieren (vgl. Exil und innere Emigration, 1972; Zur literarischen Situation 1945–1949, 1977; Trommler, Nachkriegsliteratur, 1977).

Die Vor- und Frühgeschichte der Gruppe 47 erhärtet jedenfalls die Hypothese, daß es Kontinuitätsbeziehungen gab. Deutlich wird dies an der Rolle Günter Eichs nicht nur für die Konstitution der Gruppe 47, sondern für die Entfaltung der (bundes-)deutschen Nachkriegsliteratur insgesamt. Es war Eich, der das Erbe des Kreises um die Dresdner Zeitschrift »*Kolonne*« (1930) einbrachte, einem Kreis, der bemüht war »moderne Stile abzumildern und in eine metaphysisch-meditative Literatur einzuschmelzen« (Schäfer, Zur Periodisierung der deutschen Literatur seit 1930, 1977; Krolow, Die Lyrik in der Bundesrepublik seit 1945, 1973). Das *Kolonne*-Motiv, »moderne Stile« abzumildern, wurde denn auch für die Entwicklung der Gruppe 47 bestimmend. Dieser Tendenz fiel letztlich der sozialkritisch-engagierte, realistische Ursprungsimpuls aus dem Andersch-Richter-Kolbenhoff-Kreis zum Opfer. Es war kein

Zufall, daß zu Beginn der Aufstiegsperiode es Günter Eich war, an den der 1950 zum ersten Mal vergebene Preis der Gruppe 47 fiel.

Eine Gruppe von Autoren, die aufgrund ihrer Jahrgangszugehörigkeit noch keine literarische Biographie haben konnten, also projektiv die junge literarische Nachkriegsgeneration vorstellten, bildeten einen weiteren Bestandteil der Gruppe in ihrer Ausgangslage. Zu diesem zukunftsträchtigen Rekrutierungspotential gehörten Autoren wie Wolfgang Bächler, Jürgen von Hollander und Heinrich Böll, der 1951 den Preis der Gruppe 47 erhielt.

Die Vorgeschichte der Gruppe 47 gliedert sich in zwei »Desillusionierungs-Etappen«. Hieraus schöpfte sich das gesellschaftliche Erfahrungssubstrat, welches in die Konstitutionsperiode der Gruppe 47 einging. Die erste »Desillusionierung« bezog sich auf die Erfahrung des Scheiterns der Arbeiterbewegung, ihrer Organisationen zumal, den Hitlerfaschismus zu verhindern. Sie war für Andersch, Richter und Kolbenhoff begleitet von einer Periode schmerzhafter und komplizierter Lösung von der kommunistischen Arbeiterbewegung. Dieser Prozeß mündete ein in die »Emigration aus der Geschichte« und führte zur »totalen Introversion« als Antwort auf den »totalen Staat« des Faschismus (Andersch, Kirschen der Freiheit, 1952, S. 47). Dieser autobiographische Bericht rekonstruiert exemplarisch den gesamten Prozeß der »ersten Desillusionierung« und ihrer biographischen und literarischen Folgen.

Die »Emigration aus der Geschichte« endete mit der Desertation aus der deutschen Wehrmacht; ein Vorgang, der im übrigen für die bundesdeutsche Nachkriegsliteratur zu einem bestimmenden Grundmotiv geworden ist (Kröll, Profil der Gruppe 47, 1978, S.118/119). Dem zukunftsmotivierenden »Akt der Freiheit« (Andersch, Kirschen, S.80), der Desertion, welche den Kern für ein politisches und literarisch-intellektuelles Selbstbewußtsein biographischer Integrität schuf (vgl. Richters Roman, Die Geschlagenen, 1949), folgte das für die Genese der Gruppe 47 höchst bedeutsame »Amerika-Erlebnis« in der »Retorte« (Andersch) amerikanischer Kriegsgefangenenlager. Dieses »hoffnungsvolle Intervall inmitten umdüsterter Zeitabschnitte« (Wehdeking, Der Nullpunkt, 1971, S.15) bildete für die genannten Autoren, zu denen noch das spätere Gruppenmitglied Walter Mannzen stieß, gleichsam eine sozialbiographische Regenerationsphase, die zum Ausgangspunkt des Weges in die (bundes-)deutsche Nachkriegsgeschichte und -literatur wurde.

Die zentrale Bedeutung der »Antifa-Lager«, Kriegsgefangenenlager, die zu Stätten der Ausbildung von antifaschistisch-demokratisch gesonnenen Kriegsgefangenen umgebildet wurden, für die »Konstituierung der deutschen Nachkriegsliteratur« hat Wehdeking in der zitierten Studie subtil herausgearbeitet.

Insgesamt stellten die Antifa-Lager Stätten dar, in denen liberal-aufklärerisches Erbe, geläutert durch amerikanischen Pragmatismus, gefiltert durch einen methodischen Skeptizismus und versetzt mit einem erheblichen Schuß Sozialreformatorik aus dem Rooseveltschen New-Deal, den deutschen Kriegsgefangenen als weltanschauliche Wegnahrung mit in ihr Heimkehrergepäck gesteckt worden ist. In diese Zeit fiel auch die Vermittlung des Wertes von Literaturpropaganda und Literaturdidaktik; das hieß konkret die Aneignung entsprechender publizistischer Qualifikationen. Diese Ausstattung erwies sich nach der Rückkehr nach Deutschland als höchst vorteilhaft. Schon während ihrer Kriegsgefangenschaft gehörten die späteren Mitbegründer der Gruppe 47, Andersch, Kolbenhoff, Mannzen und Richter, zum Mitarbeiterstab des Kriegsgefangenen-*Ruf*, einer Zeitschrift für und von Kriegsgefangenen. Nach der Entlassung aus der »Retorte« gaben Andersch und Richter in München eine neue Zeitschrift unter dem Titel, »Der Ruf – Unabhängige Blätter der Jungen Generation«, heraus (vgl. Der Ruf. Eine deutsche Nachkriegszeitschrift, 1962). Die Zeitschrift knüpfte zwar an die Tradition des Kriegsgefangenen-*Ruf* an, unterschied sich jedoch in der Pointierung inhaltlicher Positionen erheblich (vgl. Vaillant, Un Journal Allemand Face A L'Après-Guerre: Der Ruf [1945–1949], 1973). Der geänderte Untertitel deutete auf ein bestimmtes didaktisch-politisches Programm hin; die Zeitschrift verstand sich als politisch-intellektuelles, eingreifendes Organ der »Jungen Generation« (vgl. Richter, Die Wandlung des Sozialismus – und die junge Generation, 1946). Es atmete zunächst den Geist eines temperierten Optimismus in Hinsicht auf einen erfolgreichen demokratisch-sozialistischen Neubeginn in Deutschland.

Im Blick auf die engere Vorgeschichte der Gruppe 47 sind zwei Momente im Zusammenhang mit dieser *Ruf*-Periode von Bedeutung: zum einen das Ende des *Ruf* unter der Leitung von Andersch und Richter durch den administrativen Lizenzentzug seitens der amerikanischen Besatzungsbehörden (vgl. King, Literarische Zeitschriften 1945–1970, 1974, S.16–18; Martell, Ein Weg ohne Kompaß, 1975). Das nackte Faktum der Lizenzverweigerung erwies sich als ein Faktor zur späteren Konstitution der Gruppe 47. Zum anderen wurde das mit dem *Ruf* verknüpfte intellektuelle Konzept sozialer, politischer und literarisch-kultureller Wandlung selbst ein konstitutiver Faktor für Genese und Gang der Gruppe 47. Was den zweiten Komplex angeht, so fand in modifizierter, politisch »gereinigter« Form die Idee »demokratischer Elitenbildung« (vgl. Richter, Fünfzehn Jahre, 1962, S.10 ff.), die während der Andersch-Richter Ägide im *Ruf* entwickelt worden war, Eingang in die Grundgestaltung der Gruppe 47. Diese Eliten-Konzeption war gemünzt als Gegenmodell zur verordneten Re-education als fremdgeleiteter, den Deutschen gleichsam übergestülpter politischer Pädagogik (vgl. Boehringer, Zeitschriften der jungen Generation, 1977). Es sah vor, daß der Jungen Generation, zumal der politische-publizistischen Intelligenz, die Aufgabe einer Erneuerung Deutschlands zufallen sollte. Da man kein Vertrauen mehr in die Regenerationskraft der überkommenen Parteien und Organisationen gleich welcher Provenienz besaß, sollte der Neubeginn gänzlich auf die traditionellen Organisationsmodi in allen gesellschaftlichen Lebensbereichen verzichten (Richter, Parteipolitik und Weltanschauung, 1946). Die hier zum Vorschein kommende tiefzitzende Organisationsphobie wurde zu einem bestimmenden Grundzug in der Strukturentwicklung der Gruppe 47. Begründet wurde der Anspruch einer »demokratischen Elitenbildung« durch die intellektuellen Repräsentanten der Jungen Generation mit einer Argumentationsfigur, die ebenfalls wegbereitend für die Gruppe 47 wurde. Die Junge Generation habe erstens ein durch bittere Erfahrungen mit Faschismus und Krieg geschärftes Wirklichkeitsbewußtsein entwickelt, das sie gegen falsche historische Versprechen immunisiere (»nüchterne Generation«); sie sei zweitens nicht durch Duldung oder gar Unterstützung des Faschismus belastet (»verratene Generation«), sondern sei eine von den »Vätern« geopferte Generation (vgl. das Borchert-Motiv der »verratenen Generation«; hierzu Mayer, In Raum und Zeit, 1962); schließlich läge die Bewältigung der Hinterlassenschaft des Faschismus vor allem darin, daß sie in Wort und Schrift – Kristallisationsformen gesellschaftlichen Bewußtseins – noch hartnäckig fortlebe. Das Faschismus-Erbe als Sprachproblem rückte die Rolle der Schriftsteller und Publizisten für eine demokratische Zukunft in den Vordergrund. Die Aufgabe wurde gestellt, Bewußtsein zu entrümpeln, d. h. rücksichtslos reaktionäre, allemal »kalligraphische« Sedimente aufzustöbern, um im Medium radikaler Sprachkritik zu einer neuen politischen und endlich literarischen Sprache zu gelangen. So überrascht nicht, daß »Kritik« nach dem »kritiklosen Zustand im Dritten Reich« (Richter 1962, S.13) in der Ruf-Periode geradezu zu einem demokratischen Elexier hochgewertet wurde. In Form der Literatur-Kritik wurde sie dann zum Leitfaden der Gruppengeschichte, wobei als ausgemacht galt, daß man Kritik zunächst rückhaltsos gegen sich selbst, gegen seine eigenen Artikulationen als Schriftsteller zu wenden hätte, ansonsten man die Legitimität als eine »demokratische Elite« vorweg verspielen würde (Richter, ebd.).

Die Hoffnung, über den Weg von demokratischen »Oasen« bestimmend auf den geschichtlichen Gang in Deutschland einwirken zu können, trog. Das Konzept der demokratischen Eliten-Bildung, das nicht zuletzt auch eine Verarbeitung von Vorstellungen Arthur Koestlers darstellte, der ein solches Zukunftsmodell 1943 in einem Artikel entwickelt hatte (hierzu Vaillant 1973, S.173 ff; Boehringer 1977, S.106 f.), hielt dem Realprozeß der deutschen Nachkriegsgeschichte, der allemal von organisierter Willens- und Machtbildung bestimmt worden ist, nicht stand. Das Experiment demokratischer Eliten-Bildung in Gestalt des *Ruf* wurde im Zeichen des sich heraufkündigenden *Ost-West-Konflikts* durch den Lizenzentzug des *Ruf* für Andersch und Richter zunichte gemacht.

Die »zweite Desillusionierung« fiel weniger herb aus als die erste, weil die intellektuellen Vertreter der Jungen Generation zwar optimistisch, nicht aber enthusiastisch gestimmt waren, was die Hoffnung auf Realisation ihrer Absichten anging. Über die realen weltpolitischen Konditionen wurde man sich suksessive klar. Am 1. 2. 1947 erscheint im *Ruf* Nr. 12 ein ahnungsvoller Artikel Alfred Anderschs unter dem Titel, »Aktion oder Passivität?«: »Warum verschweigen, daß man sich darüber unterhält, ob es noch einen Zweck hat, irgend etwas zu tun« (S.132). Und klarsichtig in Bezug auf Fundamentalschwächen eines intellektuellen Elite-Konzepts: »Reden. Reden. Alles ist im Grunde gesagt ...« (ebd.). Schließlich wird die ernüchternde Bilanz gezogen: »Die Hoffnung hat getrogen. Die Illusionen-Dämmerung ist radikal« (S.133).

Endlich findet sich in dem nämlichen Artikel ein Hinweis, der die später treibende Idee der Gruppe 47 antizipierte: »Die Freiheit flüchtet sich in die Kritik. Sie hat dort ihre letzte Position« (S.134).

Der Rückzug der vordem optimistischen Jungen Generation, konzentriert um den von Andersch und Richter geleiteten *Ruf*, aus der konzeptiven Gesellschaftskritik endete schließlich im Zuge der Entfaltung der Gruppe 47 in der Freiheit tradierter Literaturkritik. Heft 17 des *Ruf* vom 15. 4. 1947 wurde nicht mehr ausgeliefert; die Geburtswehen der Gruppe 47 kündigten sich an.

Im *Ruf* publizierte Gustav René Hocke, der in der Zeit des Faschismus als deutscher Kulturkorrespondent tätig war, seinen weichenstellenden Beitrag zur Konzeption einer »antikalligraphischen Ästhetik« (Hocke, Deutsche Kalligraphie . . ., 1946). Es war Hocke, der die literaturhistorisch folgenreichen Stichworte für die Diskussion um den »Kahlschlag« lieferte, dem Programm für eine von faschistischen Schlacken zu befreiende und von schönfärberischer Sprache zu reinigende Literatur (vgl. Tausend Gramm, 1949; Widmer, 1945 oder die »Neue Sprache«, 1966).

In den Beiträgen Hockes fanden sich die Schlüsselhinweise auf eine Literatur der »Bestandsaufnahmen« und »Inventuren«, die aus dem Geist des »totalen Ideologieverdachts« heraus später sich entfaltete und eine Brücke zwischen dem »realistischen Lager« und dem »metaphysisch-meditativen Lager« herstellte.

»Aus den Politikern des Ruf wurden literarische Vorkämpfer. Das Jahr 1947 brachte die Mutation. Oder war es der Beginn einer inneren Emigration mutiger Publizisten, einer Emigration in die Gefilde der Literatur, nachdem die politische Aktion gescheitert war?« (Friedrich, Das Jahr 47, 1962, S. 21)

Es wirkten zwei Tendenzen zusammen, wie Richter später zutreffend bilanzierte; nämlich die eine, »in das Gebiet der Literatur verwiesen oder abgedrängt zu werden«, und die andere, »sich selbst aus Ohnmacht und frühzeitiger Resignation freiwillig in dieses Gebiet zu begeben« (Richter, Fünfzehn Jahre 1962, S.11). Die unfreiwillig-freiwillige Zurücknahme des direkten politisch-gesellschaftlichen Veränderungsanspruchs und die nachfolgende Bescheidung aufs literar-organisatorische Engagement, d. h. Entwicklung und Förderung der jungen deutschen Nachkriegsliteratur, erzeugten nach dem Abschied vom *Ruf* einen erneuten Versuch, ein Zeitschriftenprojekt zu realisieren. Die beabsichtigte Zeitschrift unter dem Titel *Der Skorpion* war als literarische Selbstverständigungs-Plattform gedacht (vgl. Lattmann, Stationen einer literarischen Republik,

1973, S.86 ff.; Kröll, Gruppe 47, S.40 ff.). Mit dem *Skorpion* war der Anspruch einer gesellschaftspolitischen Einwirkung zwar noch verknüpft, aber in Form einer erhofften Umwege- und Fernwirkung von Literatur auf den gesellschaftlichen und politischen Prozeß. Das Vertrauen in die didaktische, politisch-moralische Tiefenwirkung von Literatur gehörte nicht nur zum Grundbestand des Selbstverständnisses der frühen Gruppe 47, sondern hat sich in den literarischen Biographien einiger ihrer repräsentativen Autoren fest eingenistet. In dieser Hinsicht darf Siegfried Lenz als ein prototypischer Autor der Gruppe 47 in ihrem authentischen Ursprungsverständnis interpretiert werden.

Der *Skorpion*, von dem lediglich eine Nullnummer existiert, sollte von Hans Werner Richter ediert werden. Doch die US-Besatzungsbehörden verweigerten die Lizenz; über das totgeborene Kind *Skorpion* kam die Gruppe 47 zur Welt. Zum Mitarbeiterkreis gehörten als Kern diejenigen Publizisten und Schriftsteller, die mit den vom *Ruf* ausgesperrten Andersch und Richter sich solidarisierten und mit diesen zusammen nach einer neuen Artikulationsplattform suchten unter Verzicht auf politisch-publizistische Ambitionen. Hatte die Entpolitisierung auch keinen Erfolg bei den Besatzungsbehörden, so begünstigte sie doch die folgenreiche Integration von Schriftstellern in den Kreis um Andersch und Richter, die mit deren politischen Vorstellungen eines »demokratischen Sozialismus« speziell und der Idee des aktiven politischen Engagements generell wenig im Sinn hatten. Mit der Wende zum *Skorpion* waren endgültig die Voraussetzungen der Verknüpfung des dezidiert *antifaschistischen* Lagers mit dem *nichtfaschistischer* Autoren, die gleichwohl während des Faschismus in Deutschland publiziert hatten, gelegt (vgl. Schäfer 1977, S.110). Zur homogenisierenden Basis wurden nun das ideologie- und organisationsfeindliche Selbstverständnis gemeinsamer generativer Zugehörigkeit (»Zeitgenossenschaft«) und Einverständnis in die Anerkennung der Literatur als von gesellschaftlichen Bezügen allenthalben abstrahierbarer Eigensphäre, die ohne Rückbezug auf gesellschaftliche Kategorien kritisierbar und beurteilbar sei (»Subsinnwelt Literatur«).

Der *Skorpion* wurde zu einem Katalysator der Gruppe 47, indem die vorbereitenden Redaktionssitzungen jene Verfahrensmodalitäten hervorbrachten, die dann für die Tagungen der Gruppe bestimmend wurden. Der Modus, aus unveröffentlichten Manuskripten zu lesen, wurde ebenso übernommen wie der der mündlichen Sofort- bzw. Stegreifkritik, so daß die Bezeichnung der Gruppe 47 als »gesprochene Halbjahres-Zeitschrift« (Brenner, Ilse Aichinger – Preisträgerin der Gruppe 47, 1952, S.73) auf den Konstitutionsprozeß zutraf.

Die gemeinhin als 1. Tagung der Gruppe 47 bezeichnete Zusammenkunft in Bannwaldsee im Herbst 1947, zu der sich 15 Autoren, ausnahmslos ehemalige *Ruf*-Mitarbeiter, im Zeichen einer vorbereitenden Redaktionssitzung für den *Skorpion* einfanden, führte nicht, wie dies die Teilnehmer noch annehmen mußten, zu einer Wiederaufnahme literar-organisatorischer Tätigkeit in Form einer Zeitschrift. Sie wurde vielmehr ihr Schlußakt, nachdem sich zur zweiten Zusammenkunft in Herrlingen herausstellte, daß der *Skorpion* keine Lizenz erhalten würde. Es war der Beginn einer »Evolution über die Ursprungslage hinaus« (Mayer, In Raum und Zeit, 1962, S. 31).

Begünstigt wurde diese »Evolution«, welche in einer »literarischen Kehre« gründete, durch eine heute fast vergessene, für die Genese der Gruppe 47 aber relevante Zusammenkunft von Schriftstellern und Literaturinteressierten, die vom *Stahlberg-Verlag* veranstaltet wurde (Richter, Bruchstücke der Erinnerung, 1977). An diesem Treffen, das der 1. Tagung der Gruppe 47 in Bannwaldsee vorausgegangen war, nahmen einige Autoren aus dem späteren 47-Kreis teil. Aus dem Verlauf des Stahlberg-Treffens, das unter Leitung von Rudolf Alexander Schröder im Stil einer kritiklosen Literaturgemeinde-Feier abgehalten wurde, zog Richter Konsequenzen, die für die Verfahrensmodi der Gruppe 47 einflußreich geworden sind. Die Tradition literarischer Zusammenkünfte sollte nach Richters Meinung zwar fortentwickelt werden, da sie dem »Verlangen nach Kommunikation« entsprachen. Solche Treffen aber sollten, statt Literatur kultisch zu überhöhen, den Zweck verfolgen, durch bildungsbürgerlich-unbelastete, schonungslose Kritik der Neukonstitution einer »anti-kalligraphischen«, den spezifischen Bedürfnissen der Zeit angemessenen Literatur den Weg mit bereiten. Diese gegenauratische Haltung, imprägniert vom »totalen Ideologieverdacht«, entwickelte sich nicht nur zu einer Grundnorm der Gruppe 47, sondern blieb »darüber hinaus ein wichtiges ästhetisches Prinzip deutscher Autoren«, wie Wehdeking im Ausblick seiner Studie über die Konstituierung der deutschen Nachkriegsliteratur resümiert (Wehdeking 1971, S. 142).

In Anbetracht der Vorgeschichte ist der Schluß gerechtfertigt, daß die Gruppe 47 nicht einem schulenbildenden Stiftungsakt entsprang, der aus einem zweckrationalen Kalkül hervorgegangen wäre. Vielmehr war die Genese Resultat einer unvorhergesehenen Folge von Ereignissen und Improvisationen. Gleichwohl war sie nicht das Produkt einer Kette von Zufällen, sondern durch die disparaten Einzelmomente hindurch kristallisierte sie sich als eine aktive Reaktion auf letztlich gesamtgesellschaftliche Vorgänge.

In diesem Zusammenhang ist das *literar-organisatorische* »Gespür« und »Geschick« Hans Werner Richters, mithin schon erprobt in den amerikanischen Antifa-Lagern, als Konstitutionsfaktor der Gruppe 47 kaum zu überschätzen.

Richter war es auch, der im Probeexemplar des *Skorpion* die eigentliche Maxime der Gruppe 47 soz. vorformulierte: »Wo steckt unsere junge Literatur? Nun, sie wird kommen. Sie steht schon diesseits der Grenzpfähle. Wir werden sie sammeln und fördern, wir werden sie zusammenhalten und vorwärtstragen (Herv. – F. K.) ...« (zit. nach Wehdeking 1971, S. 134)

Diese selbstbewußte Absichtserklärung, der jungen Literatur einen Zugang zur sich bildenden literarischen Öffentlichkeit zu bereiten, war der Grundimpuls des Weges der Gruppe 47.

Alfred Andersch, Aktion oder Passivität? (1947). In: Der Ruf, München 1962, S. 132–136.

Alfred Andersch, Die Kirschen der Freiheit. Ein Bericht, 1952. (hier zit. nach List-Taschenbuch-Ausgabe 1962).

Alfred Andersch, Festschrift für Captain Fleischer, Erzählung. In: A. Andersch, Mein Verschwinden in Providence, Zürich 1971, S. 21–45.

Alfred Andersch, Der Seesack / Aus einer Autobiographie. In: Literaturmagazin 7 (1977), S. 116–133.

Georg Boehringer, Zeitschriften der jungen Generation. In: Zur literarischen Situation, Kronberg 1977, S. 86–117 (dort auch reichhaltige Literaturliste zum Selbstverständnis der Jungen Generation in den ersten Nachkriegsjahren).

Hans Georg Brenner, Ilse Aichinger – Preisträgerin der Gruppe 47 (1952). In: Handbuch, S. 72–77.

Der Ruf. Eine deutsche Nachkriegszeitschrift. Hrsg. v. *Hans Schwab-Felisch,* München 1962. (enthält eine Auswahl von Artikeln des von Andersch und Richter edierten Ruf der Jahre 1946/47).

Exil und innere Emigration. Third Wisconsin Workshop. Hrsg. von *Reinhold Grimm* und *Jost Hermand,* Frankfurt 1972.

Heinz Friedrich, Das Jahr 47 (1962). In: Almanach. S. 15–27.

Gustav René Hocke, Deutsche Kalligraphie oder: Glanz und Elend der modernen Literatur (1946). In: Der Ruf, München 1962, S. 203–208.

Janet King, Literarische Zeitschriften 1945–1970, Stuttgart 1974.
Friedhelm Kröll, Profil der Gruppe 47: Ideologie der Ideologielosen. In: Kürbiskern 2/1978, S. 111–127.
Karl Krolow, Die Lyrik in der Bundesrepublik seit 1945. In: Die Literatur der Bundesrepublik Deutschland. Hrsg. von Dieter Lattmann, München 1973, S. 345–533.
Dieter Lattmann, Stationen einer literarischen Republik. In: Die Literatur der Bundesrepublik Deutschland, S. 7–140.
Henning Martell, Ein Weg ohne Kompaß. In: Kürbiskern 2/1975, S. 109–119.
Hans Mayer, In Raum und Zeit (1962). In: Almanach, S. 28–37.
Hans Werner Richter, Die Wandlung des Sozialismus und die junge Generation (1946). In: Der Ruf, München 1962, S. 71–75.
Hans Werner Richter, Parteipolitik und Weltanschauung (1946). In: Der Ruf, München 1962, S. 83–88.
Hans Werner Richter, Die Geschlagenen, Roman, 1949.
Hans Werner Richter, Fünfzehn Jahre (1962). In: Almanach, S. 8–14.
Hans Werner Richter, Bruchstücke der Erinnerung. In: Literaturmagazin 7 (1977), S. 134–138.
Hans Dieter Schäfer, Zur Periodisierung der deutschen Literatur seit 1930. In: Literaturmagazin 7 (1977), S. 95–115.
Tausend Gramm. Sammlung neuer deutscher Geschichten. Hrsg. von *Wolfgang Weyrauch*, Hamburg 1949.
Frank Trommler, Nachkriegsliteratur – eine neue deutsche Literatur? In: Literaturmagazin 7 (1977), S. 167–185.
Jérôme Vaillant, Un Journal Allemand Face A L'Après – Guerre: Der Ruf (1945–1949), Paris-Nanterre 1973.
Volker Christian Wehdeking, Der Nullpunkt. Über die Konstituierung der deutschen Nachkriegsliteratur (1945–1948) in den amerikanischen Kriegsgefangenenlagern, Stuttgart 1971.
Urs Widmer, 1945 oder die »Neue Sprache«. Studien zur Prosa der »Jungen Generation«, Düsseldorf 1966.
Zur literarischen Situation 1945–1949. Hrsg. von *Gerhard Hay*, Kronberg 1977.

6. Historischer Abriss der Gruppe 47

6.1. Konstitutionsperiode (1947–1949)

Die Konstitutionsperiode umfaßt den Zeitraum zwischen der 1. Tagung im September 1947 in Bannwaldsee und der 6. Tagung im Oktober 1949 in Utting. Diese vor-öffentliche Periode wird von einer Reihe ehemaliger Gruppenmitglieder in der Rückschau als die »eigentliche«, naturwüchsige Geschichte der Gruppe 47 bezeichnet, insofern als während dieser frühen Zeit ihr Charakter der Ursprungsintention als intimitätsgeschützter literarischer Werkstatt freundschaftlich verbundener Schriftsteller (»Freundschaftsbund«) wirklich entsprochen habe.

6.1.1. Rahmenbedingungen: Folgen der Währungsreform von 1948

Als gleichsam gesprochene Halbjahres-Zeitschrift stand die Genese der Gruppe 47 von Anfang an unter günstigen Vorzeichen. Die positiven Vorbedingungen für die Entfaltung zu einem gewichtigen Organ der bundesdeutschen literarischen Öffentlichkeit lassen sich wie folgt zusammenfassen.

Im Zuge der restaurativ gefärbten Konstitution der Bundesrepublik stellte sich heraus, daß der literarischen Öffentlichkeit perspektivisch ein besonderer Stellenwert zukommen würde. Es zeigte sich, daß die politische Öffentlichkeit aufgrund von Restriktionen, Teilmoment der innergesellschaftlichen Folgen des »Kalten Krieges«, nicht über eine Kümmerform hinaus gelangen sollte, so daß die kritische Publizität in die sanktionsverdünnte literarische Öffentlichkeit auswich.

Vor diesem Hintergrund erwies sich zweitens als vorteilhaft, daß diese zukunftsträchtige literarische Öffentlichkeit, der zugleich eine Zukunft als Hort politisch-intellektueller Opposition zukommen sollte, zu dem Zeitpunkt, als die Gruppe 47 sich zu entwickeln begann, auf ihre Inszenierung erst noch wartete. Mit der *Währungsreform* von 1948 endete die kurzlebige Renaissance einer buntscheckigen, postfaschistischen literarischen Öffentlichkeit (vgl. King 1974). Vor dem Horizont des ökonomisch bedingten »Kahlschlags« im literarischen Zeitschriftenwald erwies sich die Fortsetzung der Zusammenkünfte als »gesprochene Halbjahreszeitschrift« ohne Abhängigkeit von einem Zeitschriftenrahmen, erzwungen durch den Verzicht auf den *Skorpion,* als unvorhergesehene Immunisierung gegen das durch die Währungsreform bewirkte Zeitschriftensterben.

Drittens zeichnete sich im Zuge der Spaltung Deutschlands ab, daß für die Bundesrepublik Westberlin als integrierende kulturell-intellektuelle Metropole ausfallen würde, trotz künstlicher politischer Beatmungsversuche. Damit war für die bundesdeutsche Literaturwelt ein strukturelles Kommunikationsdefizit aufgerissen. Dieses Defizit konnte durch ein entsprechend ausgestattetes und funktionierendes »Wanderprovisorium«, wie es die Gruppe 47 zu werden sich anschickte, ausgefüllt werden. Indem die Tagungen zu einem temporär gestifteten Sammelpunkt junger bundesdeutscher Nachkriegsliteratur sich ausbildeten, rückte die Gruppe 47 allmählich ins Zentrum der sozialliterarischen Verhältnisse.

6.1.2. Literarische Werkstatt

»Anstelle der Mitgliedskarte steht die Freundschaft«, so versuchte Richter 1948 den Gruppencharakter zu fixieren (Richter, Werden sie kommen?, 1948). Tatsächlich herrschte in der Frühzeit ein *freundschaftsbündischer* Grundzug vor. Die Gruppenbeschreibungen der frühen Jahre geben hiervon ein anschauliches Bild, das durch die Erinnerungen der unmittelbar Beteiligten bestätigt wird. Beispielhaft folgende Kurzbeschreibung aus dem Jahre 1948:

»Ein Kreis von privaten Freunden und literarischen Bekannten. Niemand hat ihn einberufen, beauftragt oder gar lizensiert. Niemand dachte oder denkt daran, ihn zu organisieren. Die Gruppe, die eigentlich gar keine Gruppe ist und 1947 bemerkte, daß sie existierte, ist ein freier Zusammenschluß von jungen Schriftstellern, von Publizisten und Journalisten, verstärkt durch einige Maler und Zeichner. Sie hat keine Statuten und keine Mitgliederlisten. Sie hat keineswegs (wie die meisten Gruppen nach dem ersten Weltkrieg) ihr Manifest. Sie hat keineswegs (wie die meisten Gruppen nach dem zweiten Weltkrieg) ihre ideologische Konzeption. Sie ist ein Arbeitskreis: man kommt zuweilen zusammen, tauscht Erfahrungen aus, liest und kritisiert neue Arbeiten und hält menschlichen Kontakt ...« (Groll, Die Gruppe, die keine Gruppe ist, S. 31).

Die soziale Homogenität wurde hergestellt durch das generationsspezifische Bewußtsein von Zeitgenossenschaft (vgl. Kröll, Gruppe 47, S. 134 ff.) und durch das gemeinsame Interesse, die eigenen literarischen Sozialisationsprozesse voranzubringen. Zusätzlich wurde die soziale Kohärenz gesichert durch die tragenden Mentalitäts-Säulen tiefsitzender Ideologie- und Organisationsfeindschaft. Es verstand sich deshalb von selbst, auf ideologische oder literar-theoretische Programmatik zu verzichten. Das Hauptinteresse galt der Literatur bzw. ihrer Neukonstitution als junge deutsche Nachkriegsliteratur.

Es entsprach der Option für eine informelle Vereinigung, daß die Mitglieder der frühen Gruppe vor allem Anti-Haltungen verband (vgl. Heißenbüttel, Neue Linke und die bundesdeutsche Literatur nach 1945, 1971). Diese antikonzeptive Grundhaltung erstreckte sich auch auf die politische Ebene, wenngleich es hier Grenzmarken gab, die als unüberschreitbar galten. Zu den grenzmarkierenden Entwicklungskonstanten gehörte ein wie vage auch immer bestimmter *Antifaschismus*. Es galt als ausgemacht, daß derjenige, der mit dem Nationalsozialismus sich eingelassen hatte, sein Anrecht auf Mitwirkung an der Literatur jedenfalls, wie sie die Gruppe 47 zu fördern hoffte, verwirkt habe. Einzig an diesem Punkt verschränkten sich deutlich die Sphären von Politik und Literatur, die ansonsten innerhalb der Gruppe scharf geschieden wurden. Es war insbesondere Andersch, der »Dichtung in dieser Zeit« gleichsetzte »mit Gegnerschaft gegen den Nationalsozialismus« (Hay, Vorwort zu: Zur literarischen Situation 1945–1949, 1977, S. 9). Andersch trug das Selbstverständnis in dieser Frage pointiert auf dem zweiten Gruppentreffen vor. Diese Rede erschien 1948 unter dem Titel »Deutsche Literatur in der Entscheidung«.

Der Vortrag Anderschs stellte eine Ausnahme dar, insofern als es während der Zusammenkünfte der Gruppe 47 ansonsten als Richtschnur galt, auf Grundsatzdebatten um Standortbestimmungen zu verzichten. Diese Gruppennorm der Entpolitisierung setzte sich erst allmählich durch und erweiterte sich später in ein generalisiertes, literaturhistorisch nicht unbedeutendes Theorie-Tabu.

Schon in der Frühphase schälten sich die bestimmenden sozialen Normen heraus, die während der gesamten Geschichte der Gruppe 47 in Geltung blieben und durchweg eingehalten wurden. Ihren funktionalen Bezugsrahmen hatten die Regulative in der vor allem von Hans Werner Richter getragenen Absicht, die Gruppe 47, nachdem sie nun einmal spontan-naturwüchsig entstanden war, zu einem literarischen Organ fortzubilden, entsprechend der *Skorpion*-Maxime, die junge Literatur zu sammeln und vorwärtszutragen. Folgerichtig suchte die Ursprungsgruppe nach sozialer Erweiterung durch die Einladung von Kritikern, Publizisten und insbesondere von Lektoren und Verlegern (vgl. Hensel, Gruppe 47 macht keine geschlossenen

Sprünge, 1948, S. 38). Aufgrund dieser Einladungspraxis streifte die Gruppe früh den Charakter einer reinen Autorenvereinigung ab. Damit war gesetzt, daß sie mehr sein würde denn bloß eine literarische Werkstatt, nämlich zugleich ein Ort literarischer Zirkulation. In der Anfangsphase dominierte der *Werkstattcharakter*, zumal die Tagungen noch stark gegen Ver-Öffentlichung abgedichtet waren.

Erfüllt vom Optimismus, eine genuin deutsche Nachkriegsliteratur auf den Weg zu bringen, unbelastet von dem politischen, aber auch literarischen Schatten der deutschen Vergangenheit, war Richter, der über das Einladungsmonopol verfügte, von Anfang an darauf bedacht, die Kooptation neuer Gruppenmitglieder, sofern es sich um Autoren handelte, strikt im Zeichen der Sondierung literarischer Qualität vorzunehmen; (zur Einladungspraxis: vgl. Kröll, Gruppe 47, S. 93–101). Die Gruppe suchte den Grat zwischen qualitätsorientierter literarischer Elitenbildung auf der einen und markt- sowie öffentlichkeitsferner Esoterik auf der anderen Seite.

Alfred Andersch, Deutsche Literatur in der Entscheidung. Ein Beitrag zur Analyse der literarischen Situation, Karlsruhe 1948.

Gunter Groll, Die Gruppe, die keine Gruppe ist (1948). In: Handbuch, S. 31–36.

Helmut Heißenbüttel, Neue Linke und die bundesdeutsche Literatur nach 1945. Ein Abriß. In: Geschichte der deutschen Literatur aus Methoden – Westdeutsche Literatur von 1945–1971. Hrsg. von Heinz Ludwig Arnold, Frankfurt 1972, Bd. 3, S. 1–7.

Georg Hensel, Gruppe 47 macht keine geschlossenen Sprünge. In: Darmstädter Echo vom 8. 4. 1948, (= in: Handbuch, S. 36–39).

Hans Werner Richter, Werden sie kommen? – Junge Autoren der »Gruppe 47«. In: Sie – Berliner Illustrierte Wochenzeitung, Jg. 3 vom 4. 1. 1948.

6.1.3. Kollegiale Arbeitskritik

Lesungen vor einem kollegialen Auditorium waren 1947 kein literaturgeschichtliches Novum; kritische Diskussion veröffentlichter wie unveröffentlichter Arbeiten hatten in literarischen Cafés, Salons u. ä. seit je her ihren sozialen Ort (Reinhold, Zur Sozialgeschichte des Kaffees und Kaffeehauses, 1958). Die Besonderheit der 47-Tagungen lag von Anfang an darin, daß Kritik als Grundverfahren in den Mittelpunkt der Zusammenkünfte rückte. Kritik als Methode politischer Sozialisation kam während der *Ruf*-Zeit zur Geltung. Mit der Genese der Gruppe 47 bildete sich die Kritik zu einem Faktor *literarischer So-*

zialisation um. Dabei schälten sich Regulative heraus: Lesung aus unveröffentlichten Arbeiten, Verbot für den lesenden Autor, an der kritischen Diskussion seines Manuskriptes sich zu beteiligen, und mündliche Sofortkritik. Diese war gehalten, strikt am gelesenen Text sich zu orientieren und auf Bewertung der Sujets ebenso wie auf theoretische Exkurse zu verzichten.

Für die literarische Kritik der frühen Gruppe waren Spontaneität und produktive »Rücksichtslosigkeit« kennzeichnend. Möglich war dies nur im Rahmen freundschaftlicher Intimität, die nicht durch die Einflüsse einer Konkurrenz stiftenden, gruppenexternen literarischen Öffentlichkeit gestört wurde (Kröll, Gruppe 47, S. 72 ff.). Motiviert durch das Grundbedürfnis nach literarischer Kommunikation und kritischer Rückmeldung kristallisierte sich in der Frühphase die Gestalt *interkollegialer Kritik* heraus; d. h. vornehmlich Autoren, zusammen mit »Hauskritikern« der Gruppe, bestritten die Kritik vom »Schreibtischstandpunkt« aus. Das anti-akademische Klima reflektierte den Geist des »Kahlschlags«. Ziel war nicht nur, »Sprachrodungen« und nüchterne Bestandsaufnahmen vorzunehmen. Hierüber sollte vielmehr der Weg für eine neue Literatur, die vom Schreibhandwerk her ihren Ausgangspunkt nehmen sollte, bereitet werden. Der Akzent lag auf der Schreibweise, es ging der Gruppe nicht um inhaltliche Auseinandersetzungen über die Interpretation der gesellschaftlichen Wirklichkeit (vgl. Hupka, Die Gruppe 47, 1949, S. 47). Insbesondere Richter wachte während der gesamten Tagungsgeschichte darüber, daß die Norm der Formkritik eingehalten wurde.

Die Arbeitskritik der Frühzeit wollte nicht überkommene Literaturkritik sein. Sie war eingesetzt als Instrument, die je eigenen literarischen Biographien zu entwickeln. Da das Gros der zur Gruppe 47 versammelten Autoren durchweg am Anfang seiner literarischen Entwicklung stand und den tradierten »kalligraphischen« Schreibkanons skeptisch gegenüberstand, galten die Zusammenkünfte als Experimentierfeld literarischer Selbst-Sozialisation mit den Mitteln intersubjektiver Kontrolle (vgl. Friedrich, Hat die junge Dichtung eine Chance?, 1947, S. 25).

»Es war so unglaublich schwer, kurz nach 1945 auch nur eine halbe Seite Prosa zu schreiben« (Böll); »Manchmal bin ich erschüttert über meine Unfähigkeit, gutes Deutsch zu schreiben, ich brauche immer jemanden mit roter Tinte« (Borchert).

Die interkollegiale Kritik sollte diese »rote Tinte« liefern.

Schreiben und Kritik standen in einem Lern- und Erfahrungsverhältnis, das die vielzitierte »Lebendigkeit« der frühen Tagungen begründete. Indem die Tagungen als Zwischenstationen der Selbstverständigung innerhalb der ansonsten primär isoliert fortschreitenden literarischen Sozialisationsprozesse fungierten, kam der Kritik die Aufgabe zu, die »schöpferische Arbeit« zu korrigieren und anzuregen (Friedrich, Vereinigung junger Autoren, 1948, S. 264). Auf diese Weise wirkte Arbeitskritik als Qualität sondierendes Filter.

Heinz Friedrich, Hat die junge Dichtung eine Chance? In: Die Epoche vom 23. 11. 1947 (= in: Handbuch, S. 25–27).

Heinz Friedrich, Vereinigung junger Autoren. In: Hessische Nachrichten vom 22. 9. 1948 (= in: Handbuch, S. 261–264).

Herbert Hupka, Die Gruppe 47. Münchner Rundfunk vom 22. 10. 1949 (= in: Handbuch, S. 46–48).

Helmut Reinhold, Zur Sozialgeschichte des Kaffees und des Kaffeehauses (Sammelrezension). In: Kölner Zeitschrift für Soziologie und Sozialpsychologie, Jg. 10 (1958), S. 151–154.

6.1.4. Keime literarischer Pluralität

Dem Selbstverständnis nach galt der Gruppe 47 »jede Anknüpfungsmöglichkeit nach hinten, jeder Versuch, dort wieder zu beginnen, wo 1933 eine ältere Generation ihre kontinuierliche Entwicklungslaufbahn verließ« (Richter, Warum schweigt die junge Generation?, 1946, S. 32) weder möglich noch wünschenswert. Indem durch die Gruppe 47 die Kategorie der literarischen Jungen Generation zu einem geschichtliche Kontinuität negierenden Kampfbegriff geschärft wurde, richtete sie literar-historisch nicht nur Schranken gegen die Literatur, die mit dem Faschismus sich eingelassen hatte, auf, sondern auch gegen die deutsche Exilliteratur. Zwar wurden die Exilschriftsteller in ihrem Verhalten respektiert, fühlte man mit ihrem Antifaschismus sich verbunden; man sah sich aber nicht imstande, ihre literarische und Denk-Tradition kritisch zu beerben. Auf diese Weise war die frühe Gruppe 47 erheblich mitbeteiligt an der Entstehung des Mythos vom Bruch, vom Stillstand zwischen 1933 und 1945 und vom radikalen Neuanfang nach 1945.

Innerhalb der Gruppe herrschte das Selbstmißverständnis eines »Nullpunktes« vor, insofern als davon ausgegangen wurde, man könnte im Wege von »Sprachrodungen« einen literarischen Neuanfang gleichsam gegen die Literaturgeschichte begründen. In Wirklichkeit wurde die spezifische, zeithistorisch bedingte Situation der Autoren der Jungen Generation, die an einem durch Faschismus und Krieg verzögerten literarischen Anfang standen, zu einer literaturhistorischen Tiefenzäsur verabsolutiert. Die Folge war, daß eine tiefergreifende Rezeption der deutschen Exilliteratur nicht stattfand; hierdurch wurde der Ansatz einer Diskontinuität so erst recht festgeschrieben.

Die Ortsbestimmung der Literatur der frühen Gruppe 47 vollzog sich keineswegs in einem Rezeptionsvakuum. Der in ein merkwürdig geschichtsloses Licht getauchte Fundus der »internationalen Moderne« diente als Bezugsrahmen zur Selbsteinordnung innerhalb des historischen Literaturprozesses. Diese Orientierung war nicht zuletzt Ausdruck des Nachholbedarfs an Rezeption der »klassischen Moderne«, von der die literarische Junge Generation bis 1945 – von Ausnahmen abgesehen – abgeschnitten war. In einer nicht zufälligen Analogie zur Entwicklung der bundesdeutschen Sozialwissenschaften gliederte sich die innerhalb der Gruppe 47 geförderte Literatur wenn auch tastend, so doch kontinuierlich über den Umweg der »internationalen Moderne« in die literarische Tradition ein (aufschlußreich hierzu die autobiographischen Porträts in: Fünfzehn Autoren suchen sich selbst, 1967).

Zwei gruppenspezifische Faktoren kamen diesem Vorgang entgegen. Zum einen strebte die Gruppe früh einen engen Kontakt mit der europäischen zeitgenössischen Literatur an. Unter dem alten *Ruf*- Vorzeichen der Jungen Generation wurden gezielt über nationale Schranken hinweg ausländische Kollegen, z. B. aus Frankreich und den Niederlanden, zu den Tagungen eingeladen. Die Preisvergabe an den Niederländer Adriaan Morrien 1954 war letztlich Ausdruck der europäisierenden Gruppentendenz, verknüpft mit der Absicht, die Gruppe 47 als Repräsentantin der »anderen«, jungen deutschen Literatur vorzustellen (Kröll, Gruppe 47, S. 174/75). Zum anderen wurde der Einfluß der »internationalen Moderne« begünstigt durch deren eigenartige Interpretation. Für Richter war die Zeit der »literarisch-ästhetischen Revolutionen« vorbei. Es kam für ihn nunmehr darauf an, zwar an den überlieferten Formen-Vorrat anzuknüpfen, aber auf eine Neuauflage ismenartiger Schulenbildung zu verzichten(vgl. Richter, Werden sie kommen?, 1948). Einer solchen Neuauflage stand letztlich auch die ideologische Axiomatik der Gruppe entgegen, deren Quintessenz Andersch auf der zweiten Tagung pointiert hatte: »die Ablehnung aller Wertsysteme, die sich selbst als absolut begreifen« (Andersch, Literatur in der Entscheidung, 1948, S. 28).

In der Konstitutionsperiode war allerdings die Tendenz zur Koexistenz konkurrierender literarischer Stile und Konzepte noch keineswegs ausgebildet. Zwischen 1947 und 1949 bestimmten noch die »Kahlschlag«-Intentionen unterm Vorzeichen der antikalligraphischen Ästhetik das literarische Bild der Gruppe. In dieser Zeit war das fast bekenntnishaft vorgetragene »Mißtrauen gegen das Wort« geradezu obligatorisch (vgl. Raddatz, Die Ausgehaltene Realität, 1962, S. 52). Diese sprachskeptizistische Richtschnur kehrte in den unterschiedlichsten Verhüllungen bis zum Ende der Gruppe 47 wieder, so daß die Preisvergabe an Jürgen Becker 1967 in diesem Punkt Kontinuität bezeugt.

Es waren zwei literarische Varianten, die die frühe Gruppenszene bestimmten: eine »veristische Konzeption«, wie sie von Richter, Kolbenhoff und Andersch repräsentiert wurde, in der der wirklichkeitsinteressierte Zusammenhang von »Realismus und Engagement« das Grundmotiv bildete (vgl. Vormweg, Prosa in der Bundesrepublik, 1973, S. 224/5). Die andere Tendenz mündete in den »magischen Realismus«, wofür zunächst etwa Wolfdietrich Schnurre stand, der die Geschichte der Lesungen mit einer »magisch-realistischen« Erzählung, »Das Begräbnis«, eröffnete (in: Almanach, S. 60–64).

Wenngleich auch das Schwergewicht auf der engagierten, ästhetisch absichtsvoll unprätenziösen, aber mit »verbissener Wahrheitsliebe« unternommenen Aufarbeitung der jüngsten Vergangenheit und Gegenwart lag, so machten sich doch schon in dieser frühen Phase auch innerhalb des Spektrums der ›litterature engagée‹ recht unterschiedliche Einflüsse geltend (Minssen, Notizen von einem Treffen junger Schriftsteller, 1948, S. 29). Verstärkt wurde diese Differenzierungstendenz durch die Literaturkritik, für die »schon 1947 [...] das ›Wie?‹ wichtiger war als das ›Was?‹« (Lettau, Vorbemerkung zu: Handbuch, 1967, S. 10), insofern als damit die Akzentuierung einer themenindifferenten Form-Diskussion betrieben wurde. So breiteten sich Einflüsse spätexpressionistischer Spuren, vermittelt über die literarische Leitfigur der Jungen Generation, Wolfgang Borchert, ebenso wie naturlyrischer Traditionen, vermittelt über Günter Eich, und nicht zuletzt der puritanisierenden Prosa Hemingways aus, der nicht nur für Siegfried Lenz Vorbildfunktionen ausübte (vgl. Vormweg, 1973, S. 211). Die Gruppe war im Keim literarisch-ästhetisch »offen«, zumal sie selbst literar-theoretisch und -programmatisch desinteressiert war. Insofern gilt auch für sie in bezug auf die behauptete Dominanz des »Kahlschlags«, »daß er eher ein erfolgreiches Gerücht und eine Wunschvorstellung war, als etwas in der Literatur Wirkliches« (Vormweg, 1973, S. 175).

Auf die Frage eines Journalisten von der DENA (Deutsche Nachrichtenagentur), welche Gestalt denn die zukünftige Literatur haben werde, antwortete Hans Werner Richter 1947:

»Es ist natürlich schwierig, schon jetzt sagen zu wollen, wie sie sich entwickeln wird. Alle Anzeichen aber sprechen dafür, daß die neue Sprache realistisch sein wird. Die heutige schreibende Jugend hat sich zum großen Teil von dem ungeheuren Schock der letzten Jahre noch nicht erholt und zieht sich in eine imaginäre romantische Welt zurück. Ein Beispiel dafür ist die wachsende Zahl der Lyriker. Sie leben noch immer in einer anderen Zeit, ihre Vorbilder sind meist Rilke, George, Heyse, Alverdes und andere. Eine zeitgemäße Sprache sprechen sie nicht. Im Skorpion werden alle die jungen Schriftsteller zu Wort kommen, die etwas zu sagen haben und die Talent besitzen. Unsere Sprache wird modern sein, es wird jedoch genügend Spielraum vorhanden sein, allen wirklichen Talenten das Wort zu erteilen.« (Zit. nach: Handbuch, S. 25.)

Hinter dieser frühen Option für ein Prinzip literarischer Öffnung verbarg sich die Absicht, der Jungen Generation den Weg zur literarischen Nachkriegsentwicklung zu ebnen. Dies kam später der Gruppe 47 zugute; denn durch eine sozial engagierte oder gar politisch Standort beziehende Literatur hätte sie sich innerhalb der restaurativen Entwicklung der Bundesrepublik marginalisiert. So war es nur folgerichtig, daß nach der entpolitisiernden Häutung bzw. der »literarischen Kehre« die Gruppe den nächsten Schritt, die Entwicklung der Disposition zur Stil- und Formen*vielfalt*, tat. Indem sie nicht auf engagierte Literatur sich festschreiben ließ, zeigte sie sich später auf der Höhe der literarischen Zeit der Bundesrepublik.

Fünfzehn Autoren suchen sich selbst. Hrsg. von *Uwe Schultz*, München 1967.

Friedrich Minssen, Notizen von einem Treffen junger Schriftsteller (1948). In: Handbuch, S. 27–30.

Fritz J. Raddatz, Die Ausgehaltene Realität (1962). In: Almanach, S. 52–59.

Hans Werner Richter, Warum schweigt die junge Generation (1946). In: Der Ruf, 1962, S. 29–33.

Heinrich Vormweg, Prosa in der Bundesrepublik seit 1945. In: Die Literatur der Bundesrepublik Deutschland, 1973, S. 141–343.

6.2. Aufstiegsperiode (1950–1957)

Die Aufstiegsperiode umfaßt den Zeitraum zwischen 1950, dem Jahr, in welchem zum ersten Mal der Preis der Gruppe 47 verliehen wurde und 1957, dem Jahr, in welchem die Gruppe deutlich nach außen Traditions- und Erfolgsbewußtsein artikulieren konnte. Während dieser Periode durchlief sie einen Strukturwandel, der ihre interne Verfassung ebenso wie ihren Gesamtstatus innerhalb des literarischen Marktes erheblich veränderte. Dieser Strukturwandel erscheint zunächst als Deformationsprozeß der ehedem freundschaftlichen Werkstattgruppe. Was jedoch für eine idyllisierende Betrachtung als Deformation erscheint, enthüllt sich unter dem Blickwinkel der gesellschaftlichen Verwebung der Gruppe 47, ihres Aufstiegs zu einem zentralen literarischen Legitimationsorgan, als ein gelungener Formationsprozeß. Der Weg der Gruppe während der Aufstiegsperiode verlief von einer literarischen »Arbeitsgemeinschaft« zu einer öffentlichkeitsorientierten »Zirkulationsgemeinschaft«. Die Werkstatt-Komponente wurde nie völlig gelöscht, sondern bildete auch in ihrer rezessiven Gestalt erst die Grundlage für die Ausprägung der Zirkulationsfunktion, welche in Keimform schon während der Konstitutionsperiode vorgebildet war.

6.2.1. Restitution spätbürgerlicher Sozialverhältnisse

Zur Voraussetzung hatte die Gruppe 47 in ihrer Entwicklung zu einem informellen Legitimationsorgan junger Nachkriegsliteratur einen relativ freien, durch ökonomische Konzentrationsprozesse noch nicht deformierten und kulturindustriell formierten Warenverkehr literarisch-intellektueller Erzeugnisse. Durch die Wiederherstellung der kapitalistischen Produktionsweise in den westlichen Besatzungszonen und ihrer Stabilisierung in der Bundesrepublik seit 1949 waren diese Voraussetzungen geschaffen. Zu dieser Konstellation trat als weitere Entwicklungsvoraussetzung die *politische Restauration*, die ihren öffentlich-kulturellen Widerhall fand in der Entfaltung des »Sieburg-Zeitalters«, d. h. einer Periode restaurativer kultureller Grundgestimmtheit, innerhalb der es möglich wurde, daß Ernst Jünger »wie kein anderer Schriftsteller« geehrt (Vormweg 1973, S. 189), daß die »innere Emigration« mehr als rehabilitiert und Gottfried Benn zum ästhetischen Übervater stilisiert wurde (zur restaurativen Literaturkritik: Schonauer, Literaturkritik und Restauration, 1962; ders., Sieburg & Co,

1977). Für die kulturelle Restauration hatte die Gruppe 47 durchaus ein waches Organ (vgl. z. B. Minssen, Avantgarde und Restauration, 1949). Im Zeichen der Restauration konnte sie sich als kontrastierender Sammelpunkt kritischen, sozialliberalen literarischen Geistes profilieren. Indem sie sich vom restaurativen Klima abhob, gewann sie zwangsläufig für einen erheblichen Teil der nachwachsenden literarischen Intelligenz an Anziehungskraft und stellte einen Identifikationspunkt für die politisch sich heimatlos dünkenden Schriftsteller dar.

Daß es der Gruppe 47 gelang, allmählich in eine strategische Position innerhalb des sozial-literarischen Systems der Bundesrepublik einzurücken, wurde des weiteren erleichtert durch die fortschreitende relative Stabilisierung des westdeutschen Gesellschaftssystems, ablesbar an dem Abebben der ökonomischen Kämpfe in der zweiten Hälfte der fünfziger Jahre. Die Geschichte informeller Gruppenbildung zeigt generell, daß stabile Gesellschaftsstrukturen sozio-kulturelle »Monopolstellungen« begünstigen, wie umgekehrt diese »selbst stabilisierend« wirken (Kröll, Die Eigengruppe als Ort sozialer Identitätsbildung, 1978). Voraussetzung ist, daß solche Gruppen innerhalb des ideologischen Systemkonsensus verbleiben. Dies traf für die Gruppe 47 zu, insofern als sie zwar in Opposition zur politischen und kulturellen Restauration stand, sich aber weder begrifflich noch praktisch außerhalb der vom gesellschaftlich herrschenden Bewußtsein legitimierten Bandbreite stellte. Sie trat nicht als Asyl gesellschaftlich obdachlos gewordener oder gar revolutionärer Intelligenz auf, sondern beteiligte sich an der Entwicklung einer temperierten sozial-liberalen Oppositionskultur, die letztlich erst Mitte der sechziger Jahre allmählich zur offiziösen Kultur wurde, als nämlich der demonstrative Nonkonformismus durch die SPD-Kultur- und Bildungspolitik respektierlich wurde.

Im Blick auf die engeren sozial-literarischen Voraussetzungen verdankte sich der Erwerb einer nahezu konkurrenzlosen Stellung aktiver Anpassung an die skizzierten Rahmenbedingungen, deren Kern die Einpassung in die historisch besondere Situation des bundesdeutschen literarischen Nachkriegsmarktes darstellte. Es war eine geradezu einmalige Interessenkoalition zwischen dem noch relativ gestreuten verlegerischen Kapital, den öffentlich-rechtlichen Anstalten, d. h. besonders den Kulturfunkabteilungen, den sozialen Interessen des freien Schriftstellers und denen des sich rekonstituierenden spätbürgerlichen Lesepublikums. Die Übereinstimmung bezog sich auf die Steigerung der literarischen Produktion, die Vervielfältigung der literarischen Bedürfnisse, Techniken und inhaltlichen Angebote, die Ausbildung einer genuin bundesdeutschen Gegenwartsliteratur, die Wiederherstellung einer entsprechenden Literaturkritik und endlich auf die Entfaltung eines freien literarischen Warenverkehrs in der Bundesrepublik, dem der Anschluß an den Orientierungsrahmen »Weltliteratur«, der durch den Faschismus unterbrochen worden war, gelingt (vgl. Kröll, Gruppe 47, S. 117 ff.; Winckler, Entstehung und Funktion des literarischen Marktes, 1973).

Friedhelm Kröll, Die Eigengruppe als Ort sozialer Identitätsbildung – Motive des Gruppenanschlusses bei Schriftstellern. In: DVjS 52, 1978, S. 652–671.

Friedrich Minssen, Avantgarde und Restauration (1949). In: Handbuch S. 40–42.

Franz Schonauer, Literaturkritik und Restauration. In: Bestandsaufnahme – Eine deutsche Bilanz – Sechsunddreißig Beiträge deutscher Wissenschaftler, Schriftsteller und Publizisten. Hrsg. von Hans Werner Richter, München–Wien–Basel 1962, S. 477–493.

Franz Schonauer, Sieburg & Co / Rückblick auf eine sogenannte konservative Literaturkritik. In: Literaturmagazin 7 (1977), S. 237–251.

Lutz Winckler, Entstehung und Funktion des literarischen Marktes. In: Lutz Winckler, Kulturwarenproduktion. Aufsätze zur Literatur- und Sprachsoziologie, Frankfurt 1973, S. 12–75.

6.2.2. Formation zu einem Organ sozial-literarischer Legitimierung

Die *aktive* Anpassung an die vorgefundenen Verhältnisse drückte sich in einer entschiedenen Ausbildung der Gruppe zu einem informellen Organ der Sammlung, Sondierung und vor allem literarisch-ästhetischer *Legitimierung* junger deutscher Nachkriegsliteratur aus. Diese Ausrichtung spiegelte sich im stetigen quantitativen Wachstum der Gruppe und in der immer deutlicher sich herausschälenden sozial-beruflichen Zusammensetzung. Diese reflektierte gleichsam mikroformatig das Spektrum der Funktionen und Rollen innerhalb des sozial-literarischen Systems (vgl. Kröll, Gruppe 47, S. 101). Außer dem Lesepublikum, als dessen »Treuhändler« die Literaturkritiker sich wähnten, waren bei den 47-Tagungen relevante Vertreter der literarischen Produktion, Kritik, Zirkulation und Distribution anwesend. Diese Präsenz verlieh den Tagungen zunehmend soziales und ökonomisches Gewicht. Spätestens seit Anfang der fünfziger Jahre zeichnete sich endgültig ab, daß die Gruppe sich nicht auf den Charakter einer Autorenvereinigung beschränken würde.

Weichenstellend für die Umbildung zu einem Organ der Legitimierung von Literatur, insbesondere von Nachwuchsliteratur, wurde der in der ersten Hälfte der fünfziger Jahre sich durchsetzende Strukturwandel der Literaturkritik innerhalb der Gruppe 47. Der Wandel von einer primär interkollegial bestimmten, produktionseingreifenden Literaturkritik, soz. vom Autorenstandpunkt aus, zu einer primär an der Zirkulation und öffentlichen Geschmacksbildung orientierten, taxierenden Kritik war ein Grundvorgang, welcher die Basis für den Aufstieg der Gruppe zu einem prestigebesetzten Legitimationsorgan innerhalb der literarischen Öffentlichkeit legte. Diese Wende begründete eine Veränderung der Gruppenidentität. Bis 1955 verteilten sich die Produktions- und Zirkulationsseiten noch auf zwei Tagungen im Jahr.

»Die Frühjahrstagung hat beinah offiziellen Charakter – Mikrophone sind aufgestellt, Verleger, namhafte Publizisten, literarische Agenten, Feuilletonchefs, die Leiter von Hörspielstudios sind dabei, kurz: die Weichensteller des literarischen Marktes sind geladen, während die Herbsttagung sich auf den eigentlichen Kreis der Gruppe, eine kleine Schar von Schriftstellern und Kritikern, beschränkt und ausgesprochen internen Charakter hat.« (Mönnich, Lobst du meinen Goethe . . ., 1953, S. 85)

Der französische Kultursoziologe Pierre Bourdieu entwickelte im Anschluß von Überlegungen Levin L. Schückings ein Modell zur Untersuchung der sozio-kulturellen Beziehungen am literarischen Markt (Bourdieu, Soziologie der symbolischen Formen, 1970, Kap. III.). Besondere Bedeutung mißt Bourdieu der ambivalenten Beziehung zwischen Künstlern bzw. Schriftstellern und Kritikern bei, sowie den »Sozietäten«, die sie gemeinsam bilden; (Schücking sprach von konfliktären, »gegenseitigen Bewunderungsschulen«). Diese eigenartigen Sozietäten sind es, die nach Bourdieu zu einem guten Teil mit darüber entscheiden, was als Literatur sozial-kulturelle Geltung beanspruchen darf, und was keine solche Legitimierung verdient, projiziert auf die tradierte Legitimationsskala zwischen »hoher« und »Trivialliteratur«. Just in diesem Sinne fungierte die Gruppe 47 als Organ der Legitimierung von literarischen Mustern und literarischen »Talenten«.

Der Wende der Literaturkritik zur Zirkulationsseite entsprach der Strukturwandel der Gruppe und ihrer Tagungen insgesamt. Sichtbares Zeichen hierfür war die Einführung eines spezifischen Preises der Gruppe 47 im Jahre 1950. Damit wurde gegenüber der sich bildenden literarischen Öffentlichkeit früh schon dokumentiert, daß man erstens über preiswürdige Literaturproduktion verfügte und zweitens, daß die Kritik die Kompetenz besäße, Preiswürdiges treffsicher auszuwählen. Mit der Preis-Vergabe wurde unmißverständlich der Anspruch auf den Status als Legitimationsinstanz angemeldet.

Die weitreichenden Folgen der Geschichte des Preises zwischen 1950 und 1967 können an der Liste der Preisträger abgelesen werden, insofern diese Reihe nicht nur eine Tendenz bundesdeutscher literarisch-kultureller Repräsentanz erkennen läßt, sondern auch die Entwicklung literarischer Pluralisierung innerhalb und zugleich außerhalb der Gruppe.

Liste der Preisträger:

1950	Inzigkofen	Günter Eich
1951	Bad Dürkheim	Heinrich Böll
1952	Niendorf	Ilse Aichinger
1953	Mainz	Ingeborg Bachmann
1954	Cap Circeo	Adriaan Morrien
1955	Berlin	Martin Walser
1958	Großholzleute	Günter Grass
1962	Berlin	Johannes Bobrowski
1965	Berlin	Peter Bichsel
1967	Pulvermühle	Jürgen Becker

Zu den Maßnahmen, die Kraft der Gruppe als fähiges literarisches Legitimationsorgan zu stärken, gehörte die allmähliche Rationalisierung der Kooptation literarischer Novizen unter dem Leitgesichtspunkt zu erwartender literarischer Qualität (vgl. Kröll, Gruppe 47, S. 93–101). Auf diese Weise sollte dafür gesorgt werden, daß die Gruppe sich auch einen Ruf als »Entdecker-Organ« erwarb. Wenn Hans Magnus Enzensberger die Gruppe 47 eine Einrichtung zur »Verhinderung literarischen Unfugs« nannte (Enzensberger, Die Clique, 1962, S 25), so drückte sich darin die innere Tendenz der Gruppe aus, Zirkulationsgeschäfte zu betreiben. Folgerichtig war es dann, daß die Frage nach literarischen Positionen eine untergeordnete Rolle spielte, es vielmehr um die Begutachtung literarischer »Qualitätserzeugnisse« jenseits des jeweils von den Autoren bezogenen literatur-theoretischen Standorts ging. Zunehmend wichtig erschien einzig, daß eine bestimmte literarische Bearbeitungsweise gekonnt signalisiert wurde.

Die Leistungsorientierung wirkte sich in der sukzessiven Inthronisation des *Konkurrenz*prinzips aus. Verstärkt wurde diese Tendenz durch die beschleunigte Öffnung der Tagungen für die Medien. Es blieb daher nicht aus, daß die Tagungen zu Foren individueller Selbstdarstellung und Wahrnehmung sozialer Chancen sich entwickelten. Indem die Tagungen sich tatsächlich zu einer Struktur der Gelegenheiten mit öffentlicher Resonanz herausformten, stieg die Zahl der Bewerber, die um ein Debüt vor der Gruppe sich bemühten, rapide an. Dies wiederum erlaubte Hans Werner Richter, mit Hilfe von Beratern aus dem Gros der Bewerber gezielt auszuwählen. Notwendigerweise mußte bei dieser Entwicklung das Ursprungsmotiv einer produktionshelfenden Arbeitsgruppe auf der Strecke bleiben. In der ersten Hälfte der fünfziger Jahre hielten sich das Produktions- und Zirkulationsinteresse noch die Waage.

Die internen Wandlungen fanden ihr Pendant im Verhalten nach außen. Wenngleich die Gruppe von Anfang an bestrebt war, öffentliche Resonanz zu erzielen (vgl. Groll, Die Gruppe, die keine Gruppe ist, 1948, S. 35/36), so entfaltete sich eine wirkungsvolle Selbstdarstellung erst im Verlauf der fünfziger Jahre (Ferber, Die Gruppe 47 und die Presse, 1962). Die Entintimisierung der Tagung wurde von einer regen Selbstkommentierungs-Tätigkeit begleitet (vgl. Kröll, Gruppe 47, S. 101–106). Die Gruppe achtete nicht nur sorgsam darauf, daß sie öffentliche Aufmerksamkeit auf sich zog, sondern war in ihrem Publizitätsbewußtsein auch darauf bedacht, ein ihr genehmes Bild von sich zu vermitteln. Den Fixpunkt des verbreiteten Selbstbildes stellte die Legende von der »Gruppe, die keine Gruppe ist«, dar. Es ging ihr vor allem darum zu verhindern, daß der Eindruck sich festsetzen könnte, die Gruppe sei so etwas wie ein kompaktes soziales Gebilde. Unisono und ohne Ende erzählte sie von sich, daß sie nichts anderes sei als ein Konglomerat von Individuen ohne gruppenspezifische normative Verflechtung. Indem es ihr gelang, dieses Bild im öffentlichen Bewußtsein zu verankern, zog sie über ihre Existenz und praktischen Funktionen als Legitimierungsorgan den Schleier der Ideologie des Flüchtigen, Lockeren und vor allem Unverbindlichen – mithin in Widerspruch zur sozio-kulturellen Verbindlichkeit ihrer Legitimations-Macht.

Hans Magnus Enzensberger, Die Clique (1962). In: Almanach, S. 22–27.

Christian Ferber, Die Gruppe 47 und Die Presse (1962). In: Almanach, S. 37–43.

Horst Mönnich, Lobst du meinen Goethe, lob ich deinen Lessing. In: Sonntagsblatt vom 7. 7. 1953 (= in: Handbuch, S. 85–87).

6.2.3. *Wende zur professionellen Literaturkritik*

In Gang kam die Kritik innerhalb der Gruppe als Gegenmodell zur Tradition auratischer Umhüllung von Literatur. Die Lesung erhielt ihren Sinn erst durch die Aura negierende Kritik. Während in der Konstitutionsperiode Kritik zugeschnitten war auf »durchaus mögliche und notwendige Hilfe« (Hensel, Gruppe 47 macht keine geschlossenen Sprünge, 1948, S. 37) für die literarischen Sozialisationsprozesse, rückte in der Aufstiegsperiode die Zirkulationskomponente, über den Vorlesenden zu notieren, was er bzw. sein Erzeugnis sozio-ästhetisch »wert« sei, in den Vordergrund. Dieser Wandel zeigte sich zunächst als Formveränderung des Kritikverfahrens. Der Weg wurde gebahnt für die Durchsetzung eines »Oligologs«, in welchem einige wenige professionelle Kritiker das Geschäft literarischer Begutachtung okkupierten unter tendenzieller Ausschaltung der kollegialen Kritik. Folge war ein Zurückdrängen der spontannaturwüchsigen Arbeitskritik durch den Modus ritualisierter, akademisierender Literaturkritik. Es kristallisierte sich eine Riege von »Hauskritikern« heraus, die nicht bloß die Produktionsinteressen der Autoren, sondern auch ihre Profilierungsinteressen als Kritikerpersönlichkeiten verfochten und dementsprechend begannen, das Kritikverfahren gleichsam oberhalb der Lesung als selbständige Darstellungsform zu institutionalisieren. Es prägte sich jener Zug heraus, von dem später ein Gruppenmitglied notierte: »Gelegentlich hatte man den Eindruck: diese Kritik würde auch dann noch funktionieren, wenn man ihr jeglichen Gegenstand entzöge«. (Friedrich, Die Avantgarde tritt kurz . . ., 1960)

In den fünfziger Jahren herrschte jedoch noch ein »mittlerer« Typ der Gruppenkritik vor, in der die Momente der Interkollegialität und Spontaneität noch nicht ausgelöscht waren. Sie hatte sich noch nicht zum Zeremonial verfestigt, besaß aber schon Züge jener Gestalt bundesdeutscher Literaturkritik, die als »repräsentative Blockkritik« (Kröll, Gruppe 47, S. 47) definiert werden kann. Nicht zuletzt, die Gruppe 47 war mit beteiligt an der Konstitution jenes bundesdeutschen Kritiker-Typus, der in den späten sechziger Jahren mit dem pejorativen Stichwort »Großkritik« bezeichnet worden ist (vgl. den Sammelband, Kritik – von wem/für wen/wie, 1968). In der Hochperiode, an deren Ende die Herausbildung einer Kritikerelite stand, begannen sich endgültig funktionale Differenzierungen und Rollenverteilungen durchzusetzen. Kritik wurde zum publizitätsgewendeten Stil, zum Szenarium eines »Literaturblattes in life«, schnitt doch der Rundfunk durchweg die Tagungen mit. Das Tagungsauditorium wurde, von wenigen Ausnahmen abgesehen, zu einer Zuhörer- und Zuschauerrolle degradiert, die Lesung zur prekären Institution eines literarischen Prüfstandes, bezeichnet mit dem ominösen Stichwort »elektrischer Stuhl«, umgeformt.

Im Formwandel drückte sich jener angedeutete Funktionswandel der Kritik von der interkollegialen Selbstverständigung zur zirkulationsorientierten, sozio-ästhetischen *Werttaxation* aus. Die Tagungskritik begann sich den Funktionsanforderungen des übergreifenden literarischen Marktes anzugleichen, indem sie als informelle Clearing-Stelle zirkulationsrelevante, sozio-ästhetische Vorentscheidungen traf. Die soziale Spezifik gründete darin, daß innerhalb eines privat aufgezogenen, öffentlich aber höchst wirksamen Forums dem Grundriß nach zwar sozial unverbindliches literar-kritisches Räsonement betrieben wurde, faktisch aber ein sozial-kulturell verbindliches und folgenträchtiges Sortierungsverfahren sich einspielte. Damit verwandelten sich die Tagungen in Zirkulationsmedien mit all den Unwägbarkeiten, die sozio-ästhetischen Wertbestimmungen am literarischen Markt aufgrund der spezifischen Warenform von Literatur je schon innewohnen (Bourdieu 1970, S. 82/83). Sukzessive wurde die »Dramaturgie« der Tagungen durchwirkt von einer Konkurrenz um literarische wie literarkritische Legitimität.

Diese Vorgänge veränderten das Lese-Verhalten. Während in der Konstitutionsperiode ein Verhalten dominierte, solche Texte vorzulesen, die dem Autor problematisch erschienen und für die er hoffte, fruchtbare Kritik zu bekommen, er also bewußt »schwache Seiten« offenlegte, setzte sich allmählich ein Umkehrungsprozeß durch. Um vor der taxativen Kritik bestehen zu können, zog man die Strategie der Immunisierung vor, d. h. man las wohlgefeilte Textstücke bzw. -ausschnitte vor, von denen man annahm, daß sie bei der Kritik »ankamen«. Das strikt erfolgs- bzw. wirkungsorientierte Leseverhalten mündete in der Hochperiode in den Habitus einer literarischen Demonstration ein, um endlich in der Spätperiode sich in einen »Auftritt« zu verwandeln, bei dem der Text nur noch eine nebengeordnete Rolle spielte.

Es bedarf genauerer wirkungsästhetischer Untersuchungen der literatur-historischen Folgen, welche durch die Eigenart der Lesung innerhalb der Gruppe 47 hervorgerufen worden sind.

Die Hypothese in diesem Zusammenhang lautet, daß die Lesung-Kritik-Situation ein bestimmtes *antizipatorisches* Verhalten bei den Nachwuchsautoren zur Folge hatte, insofern als diese einer ganz bestimmten Literatur den Vorzug gaben, nämlich solcher, die sich für eine Rezeption einer Kritik eignete, die nach dem Stegreif-Prinzip funktionierte. Der notwendig befristete Zeitraum der Lesung ebenso wie die äußerst kurze Reaktionszeit für die Kritik zwangen die Autoren, *Ausschnitte* aus Arbeiten zu Gehör zu bringen. Dieser Zwang barg gattungsspezifische Vorstrukturierungen; so eignete sich zum Vorlesen am ehesten das kurze Prosastück, dem eine pointierende Wirkungspotenz innewohnte. Diese Potenz besaß die Tradition der grotesken Literatur. Lyrik hatte zwar den Vorteil, in der Regel nicht aus einem Werk extrahieren zu müssen, doch es zeigte sich mehrfach, daß aufgrund des mündlichen Vortrags und der der Lyrik eigenen Dichte es zu Interpretationsschwierigkeiten kam bis hin zu banalen Hörfehlern (vgl. die Glossierungen von Hermann Kesten, Der Richter der Gruppe 47, 1963). Diese konnten folgenreich sein für die Begutachtung, zumal es den vorlesenden Autoren verwehrt war, selbst Hörfehler zu korrigieren. Die Antizipation des Situations-Effektes hatte nicht nur sozialisatorische Wirkungen für Nachwuchsautoren, sondern auch literaturhistorische Folgen, insofern als der Weg der Gruppe 47 gekennzeichnet ist von der inneren Spur kurzer Prosastücke, Erzählungen und solcher Romane, die nach dem kompositorischen Prinzip semi-autonomer Kapitel gearbeitet sind. Bundesdeutsche Literaturgeschichte hat auf diese Weise ihre profanen gruppensoziologischen Determinanten.

Heinz Friedrich, Die Avantgarde tritt kurz – Zur Herbsttagung der Gruppe 47. In: Rheinische Post vom 8. 11. 1960.

Georg Hensel, Gruppe 47 macht keine geschlossenen Sprünge. In: Darmstädter Echo vom 8. 4. 1948 (= in: Handbuch, S. 36–39).

Hermann Kesten, Der Richter der Gruppe 47. In: Deutsche Zeitung vom 13./14. 7. 1963 (= in: Handbuch, S. 320–328).

Kritik – von wem/für wen/wie – Eine Selbstdarstellung deutscher Kritiker. Hrsg. von *Peter Hamm,* München 1968.

6.2.4. Etablierung des pluralistischen Literaturprinzips

»Aus dem seinerzeit überwiegend homogenen Zusammenschluß realistischer Prosaschriftsteller ist eine Gruppe sehr unterschiedlicher Stilrichtungen geworden«, so 1956 der aufmerksame Tagungsbeobachter Hans Schwab-Felisch (Dichter auf dem ›elektrischen Stuhl‹, S. 118/119). In seiner Synopse, »Deutsche Literatur der Gegenwart«, lobte Walter Jens den literarischen Pluralismus der Gruppe 47, »deren Bedeutung man schon darin sehen darf, daß sie jedem offen steht und sich vor allem der Adepten annimmt, daß sie keine -ismen und Programme vertritt, sondern die Individualitäten frei gewähren läßt [...] Nicht die vorgängige Übereinstimmung, sondern die Summe der Disharmonien charakterisiert die Gruppe 47 [...] Hier ist kein ›Kreis‹ versammelt, hier strebt man nicht nach einer ›heilsamen Diktatur‹ über das deutsche Schrifttum (George an Hofmannsthal), sondern läßt alle Stile und Richtungen gelten« (1961, S. 78). Mit diesem Plädoyer für den Pluralismus fiel die Gruppe keineswegs aus dem Orientierungsrahmen der westdeutschen Literaturwelt heraus, wie ein Blick auf die Intentionen der Zeitschrift *Akzente* zeigt (vgl. die editorischen Bemerkungen von Hans Bender aus dem Jahre 1963, Akzentuierte Auskunft, S. 230).

Der Weg zur fast schrankenlosen Pluralität war von Anfang an vorgezeichnet. Offenkundig wurde er in den Stationen der Preisverleihung an Ilse Aichinger 1952, Ingeborg Bachmann 1953, Adriaan Morrien 1954 und Martin Walser 1955. Sie verdeutlichen den unwiderruflichen Abschied von der neorealistischen Tradition, Zeitgeschichte literarisch zu verarbeiten. An dieser Tendenz änderte auch nichts die Tatsache, daß Heinrich Böll 1951 den Preis zugesprochen bekam, erhielt er ihn doch für eine Erzählung, »Die schwarzen Schafe«, die nicht den sonst seinen Kurzgeschichten eigenen Atem realistischer Verarbeitung der Nachkriegszeit hatte. Diese Strömung wurde zu Anfang der fünfziger Jahre mit dem pejorativen Begriff »Trümmerliteratur« belegt. Es entsprach der Grundtendenz, daß auch Walter Kolbenhoff der Arbeit an einem Schelmenroman sich zuwendete (vgl. Hupka, Die Gruppe 47, 1949, S. 47), Alfred Andersch von der Lesung vor der Gruppe sich zurückzog und Hans Werner Richter ebenfalls auf Lesungen verzichtete, was zudem gruppenstrukturelle Ursachen hatte. Richter konnte sich auf diese Weise besser den Leitungsfunktionen widmen. Zu Mitte der fünfziger Jahre rückte der Typus einer forminteressierten und tendenziell technifizierten Literatur in den Vordergrund. Es kam zu Konflikten innerhalb der Gruppe zwischen Vertretern der »literature engagée« und der »poésie pure« (vgl. Bauer, Hier kann jeder seine Meinung sagen, 1957, S. 127).

Ästhetische Feinsinnigkeit, melancholische Tönung und ästhetisch-sublimierte Ironie bestimmten zunehmend das literarische Erscheinungsbild.

»Ganz anders«, so der »Gruppenveteran« Armin Echholz 1954, »hörten sich die Manuskripte der Gruppe an, als nach der Währungsreform der Atem ruhiger wurde und man eingesehen hatte, daß die Verhältnisse mit Hilfe von Stories und Gedichten kaum zu beeinflussen sind. Die zweite Phase der literarischen Bemühungen begann mit der Wiederentdeckung des metaphysischen Eulenspiegels, der sich in allerlei Verkleidungen in die ernstesten Themen einschlich und deren anklägerischen Charakter zersetzte. Die experimentelle Prosa blühte, man wurde *interessant* (Herv. – F. K.), die Themen lagen nicht mehr auf der Straße, sondern in den Wolken oder in einer privaten Schatulle. Manches verschobene Innenleben fing an zu wuchern, und ohne Grenzen schien der Raum, in den man kontrolliert hineindichten, -schreiben und -dozieren konnte.« (Eichholz, Thomas Manns Lob und das Geldverdienen, 1954, S. 98)

Vor diesem Entwicklungshintergrund war es Heinrich Böll, der 1952 sein »Bekenntnis zur Trümmerliteratur« artikulierte in scharfer Kontrastierung zum »Blindekuh-Schriftsteller«, der einzig »nach innen« sehe und von daher »eine Welt sich zurechtbaue« (Böll, Bekenntnis zur Trümmerliteratur, 1952, S. 342). Dieses Plädoyer für eine »Ästhetik des Humanen« gegen die Wortführer eines »poetischen Museums«, einer Tradition, die auf die Variation des Formenvorrats aus der »klassischen Moderne« sich kaprizierte, ließ sich durch die Polemik gegen die »Landser-, Heimkehrer- und Schwarzhändler-Mythen« nicht einschüchtern (hierzu Trommler, Emigration und Nachkriegsliteratur, 1972, S. 181/82). In diesem Zusammenhang ist hervorzuheben, daß der Weg Wolfdietrich Schnurres einen Ausnahmefall darstellt, insofern er gegenläufig zur Gruppentendenz den Weg »von der Verinnerlichungspoetik zum kritischen Engagement fand« (ebd., S. 181).

Schon 1951 hatte der französische Tagungsgast Louis Clappier anläßlich der Dürkheimer Tagung kritisch notiert:

»Dennoch haben die Dürkheimer Tage, obschon sie die Existenz einer Literatur, die sich noch selbst suchen muß, bestätigt haben, unseren Erwartungen nicht vollends entsprechen können. Von den vorgestellten Werken beschäftigen sich nur sehr wenige mit der aktuellen Situation in Deutschland. Ein böses Wort wurde in Bad Dürkheim ausgesprochen; man sprach von einer Literatur der Flucht [...] Es ist aber möglich, daß es vor allem den deutschen Schriftstellern als das beste Engagement erscheinen kann, sich nicht zu engagieren [...] Wir haben [...] in Bad Dürkheim zu viele imaginäre Welten gesehen, zu viele Gespenster der Vergangenheit und zu oft den an das Boot der

Poesie geketteten Odysseus. Wir haben zu viel billigen Humor gehört, zu viele Balladen vom Mond und Interviews mit den Sternen. Das alles hat uns aber das gegenwärtige Deutschland nicht vergessen lassen, das geteilte Deutschland, vierfach besetzt, hier unter Hammer und Sichel, dort inmitten einer bourgeoisen Restauration.« (Clappier, Die deutsche Literatur auf der Suche nach sich selbst, 1951, S. 67)

Heinrich Vormwegs literaturhistorisches Urteil, daß »auch die ›junge deutsche Literatur der Moderne‹ und ihr im Grunde nicht originaler, sondern nur pluralistischer Formenvorrat zum Fluchtweg aus der Wirklichkeit werden [konnte]«, hat in Anbetracht der dominanten Tendenzen der Gruppe 47 während ihrer Aufstiegsperiode seine analytische Gültigkeit (Vormweg 1973, S. 234). Allemal, »die Restauration ernährt[e] auch ihre Gegner« (ebd., S. 213).

Indem die Gruppe endgültig das pluralistische Konzept zur Geltung brachte, vollzog sie ihre eigene Restauration im Wege eines enthistorisierenden Ästhetizismus.

Die enorme literarische Gruppenflexibilität wurde ermöglicht durch den Verzicht auf literaturtheoretische Positionsbestimmungen und endlich durch den impliziten, von der Gruppe geteilten Literaturbegriff, daß nämlich »Literatur« ein Eigenproblem sei, daß der Literaturprozeß wesentlich die Geschichte von Schreib*modi* sei. Letztlich einte die Idee eines genuinen Literaturprozesses in der Weise, daß stillschweigend vorausgesetzt wurde, »es gäbe ein gemeinsames Medium, das alle Gegensätze in sich aufhöbe oder gegenstandslos machte, das sei die Kunst« (Wellershoff, Literatur, Markt, Literaturindustrie, 1967, S. 1025/26).

»Die Richtung? Die Art? Der Ismus? Das ist nicht so wichtig bei der Gruppe 47; wichtig ist, daß einer für uns und in seiner Art gut schreibt« (Walser, Gruppenbild 1952, S. 278). Diese Bestimmung Walsers umriß präzis die Signatur der Gruppe seit der Aufstiegsperiode. Sie beinhaltete die literarische Position ästhetischer Positionslosigkeit bzw. eines ungehemmten Stil-Pluralismus.

Arnold Bauer, Hier kann jeder seine Meinung sagen. In: Der Kurier vom 5./6. 10. 1957 (= in: Handbuch, S. 125–128).

Hans Bender, Akzentuierte Auskunft. In: Akzente, 10. Jg. (1963), S. 211–213.

Heinrich Böll, Bekenntnis zur Trümmerliteratur (1952). In: Heinrich Böll, Erzählungen. Hörspiele. Aufsätze, Köln–Berlin 1961, S. 339–343.

Louis Clappier, Die deutsche Literatur auf der Suche nach sich selbst (1951). (=: Handbuch, S. 65–68).
Armin Eichholz, Thomas Manns Lob und das Geldverdienen. In: Münchner Merkur vom 4. 5. 1954 (= in: Handbuch, S. 97–103).
Walter Jens, Deutsche Literatur der Gegenwart – Themen, Stile, Tendenzen, München 1961.
Hans Schwab-Felisch, Dichter auf dem ›elektrischen Stuhl‹. In: Frankfurter Allgemeine Zeitung vom 1. 11. 1956 (= in: Handbuch, S. 116–120).
Martin Walser, Gruppenbild 1952. Radio Bern November 1952 (= in: Handbuch, S. 278–282).
Dieter Wellershoff, Literatur, Markt, Kulturindustrie. In: Merkur Jg. XXI (1967), S. 1013–1026.

6.3. Hochperiode (1958–1963)

Die Tagung in Großholzleute im Herbst 1958 leitete eine neue Stufe der Gruppenentwicklung ein. Die Gruppe 47 begann und konnte sich in der Perspektive von »Weltliteratur« interpretieren (vgl. Kaiser, Die Gruppe 47 lebt auf, 1958). Mit der Preisverleihung an Grass für ein Kapitel aus der »Blechtrommel« sprengte die Gruppe endgültig den deutschsprachigen Literaturzusammenhang. Der »Welterfolg« der »Blechtrommel« strahlte zurück auf die Gruppe, die Erstentdeckung und Erstlob zu Recht für sich reklamieren konnte. Im übrigen, auf den vorhergehenden Tagungen konnte Grass mit seiner Lyrik kaum mehr als durchschnittliche Aufmerksamkeit erzielen.

Die Preisvergabe an Grass läutete nach einer Phase der Stagnation nicht nur die Hochperiode der Gruppe ein, sondern mit diesem Datum wurde sozial kenntlich, »daß die Prosa der Bundesrepublik international wieder notiert« wurde (vgl. Vormweg 1973, S. 262). Hieran mitbeteiligt war in der Folge nicht zuletzt auch Uwe Johnsons Roman »Mutmaßungen über Jakob« (1959). Ahnungsvoll betitelte Heißenbüttel einen Kommentar zur Tagung in Aschaffenburg 1960, »und es kam Uwe Johnson« (S. 156). Für die Hochperiode gilt, was Vormweg resümiert: »Die ›junge deutsche Literatur der Moderne‹, weitgehend identisch mit der ›Gruppe 47‹, war in vollem Umfang etabliert. Sie und nichts anderes mehr repräsentierte den neuen Standard.« (Vormweg 1973, S. 263)

Für die Gruppe 47, die wesentlichen Anteil an der Förderung und Institutionalisierung einer genuinen bundesdeutschen Nachkriegsliteratur hatte, barg die erreichte Entwicklungsstufe problematische Konsequenzen. Mit dem Aufstieg zu einer literarisch-kulturellen Institution von internationaler Geltung stießen ihre Tagungen, die der Logik unaufhörlicher literarischer Ereigniserzeugung unterworfen waren, an Grenzen (Kröll, Gruppe 47, S. 85–93); die sozial-literarische Erfolgskurve war kaum noch zu steigern, wenn es bereits im ›Combat‹ von ihr hieß: »Man erwartet das jährliche Treffen der Gruppe 47 wie man das Mittagessen des Goncourt-Preises erwartet ...« (Bermbach, Deutsche Literatur nach dem Kriege, 1960, S. 289)

Die Gruppe fand zwar in der Spätphase noch »glänzende« Auswege, wie die Tagungen von Sigtuna 1964 und Princeton 1966 zeigen sollten. Der Schatten kulturindustrieller Wiederholungszwänge aber begann deutlich auf den Tagungen zu lasten; die Möglichkeit der literarisch-kulturellen Sensationserzeugung begann sich zu erschöpfen.

Peter Bermbach, Deutsche Literatur nach dem Kriege. In: Combat v. 8. 9. und 15. 9. 1960 (= in: Handbuch, S. 286–290).

Helmut Heißenbüttel, Und es kam Uwe Johnson. In: Deutsche Zeitung vom 10. 11. 1960 (= in: Handbuch, S. 156–158).

Joachim Kaiser, Die Gruppe 47 lebt auf. In: Süddeutsche Zeitung vom 5. 11. 1958 (=: Handbuch, S. 137–139).

6.3.1. Stabilisierung der bundesdeutschen Restaurationsepoche

Die Stabilisierung der bundesrepublikanischen gesellschaftlichen Verhältnisse schritt weiter voran; der Schein eines konfliktfreien »organisierten Kapitalismus«, einer endgültig wohlstandsbefriedeten Gesellschaft befestigte sich. Diesem Schein erlagen, gleich ob mißmutig oder ironisch distanziert, auch die Autoren im Umkreis der Gruppe 47. Prototypisch die politische Lyrik Enzensbergers aus diesen Jahren (vgl. Enzensberger, Verteidigung der Wölfe, 1957 – »böse Gedichte«; ders., Landessprache, 1960 – »Landessprache«, »schaum«, »gewimmer und firmament«).

Auf der Grundlage und in Konformität zur sozio-ökonomischen Rekonstruktionsperiode entwickelte sich die Gruppe zu einem temperierten Widerpart der politischen Restauration; sie richtete sich ein als illustres »Zentralcafé einer Literatur ohne Hauptstadt« (Enzensberger, Die Clique, 1962, S. 271).

Weder durch die Ereignisse des »Mauerbaus« 1961, noch durch die Spiegel-Affäre und die Kuba-Krise 1962 ließ sich der Geist der Gruppe irritieren. Restriktiv zog sie ihre Tagungen als literarische Ereignisse auf; nichts konnte diese »Literaturwelt« trüben, Ökonomie und Politik blieben »draußen vor der Tür«. Es waren »Gruppenveteranen« aus der »realistischen Tradition«, wie Wolfdietrich Schnurre, denen der soziopolitischen Quietismus Unbehagen bereitete (Verlernen die Erzähler das Erzählen?, Schnurre, 1962). Schnurre rieb sich an der Diskrepanz zwischen der Tendenz einer literarischen »Flucht aus der Zeitbezogenheit«, der Errichtung eines »neuen Elfenbeinturms« (ebd., S. 171) und der außerliterarischen und gruppenexternen Wirklichkeit.

Über die politische Enthaltsamkeit der Gruppe 47 können auch nicht die sogenannten Manifeste hinwegtäuschen, die zu verschiedenen politischen Anlässen im Anschluß an Gruppentagungen publiziert worden sind. Diese »Manifeste« waren Resultate gleichsam der Privatgruppensphäre, d. h. sie kamen nach Abschluß des offiziösen Teils der Tagungen zustande (im einzelnen hierzu Kröll, Gruppe 47, S. 173/74; vgl. auch Helbig, Die politischen Äußerungen aus der Gruppe 47, 1967). Fälschlicherweise unterstellt Helbig die Gruppe 47 als explizites politisches Handlungssubjekt, das sie nie war, wenngleich sie zu einem Politikum wurde. Allemal, die Gruppe 47 war vor diesem Horizont ein legitimes Kind der Restauration.

Zustatten kam der Gruppe seit Mitte der fünfziger Jahre ein eigentümlicher literaturhistorischer Sachverhalt, der aufs engste mit der deutschen Nachkriegsgeschichte zusammenhing. Anfang der fünfziger Jahre lag das Schwergewicht der westdeutschen belletristischen Verlage auf Importen ausländischer Literatur, zumal der »klassischen Moderne«. Dies hatte seine Ursachen in dem Nachholbedarf, welcher durch die Zeit des Faschismus entstanden war. Zu dem Zeitpunkt, als die westdeutschen Verleger verstärkt sich für genuin westdeutsche Literatur zu interessieren begannen, (wobei die Gruppe selbst dafür sorgte, daß dieses Interesse wuchs, also Mitte bis Ende der fünfziger Jahre), konnte die Gruppe 47 eine von ihr vorsortierte junge deutsche Gegenwartsliteratur vorweisen. Es waren ihre Tagungen, auf denen über aktuelle literarische Tendenzen informiert und auf denen junge Schriftsteller vorgestellt wurden. Sie strich gleichsam eine sozial-literarische Pionier-Prämie ein.

Wolfdietrich Schnurre, Verlernen die Erzähler das Erzählen. In: Die Welt vom 31. 10. 1962 (= in: Handbuch, S. 169–174).

Gerd R. Helbig, Die politischen Äußerungen aus der Gruppe 47 – Eine Fallstudie über das Verhältnis von politischer Macht und intellektueller Kritik, Diss. Erlangen 1967.

6.3.2. Entwicklung zu einer literarisch-kulturellen Institution

In einer »Gruppen-Analyse« artikulierte Klaus Wagenbach 1959 ein Entwicklungsproblem der Tagungen:

»Die Gruppe 47 hat andere Sorgen: sie wird zu groß. Weniger durch den Andrang der Bewerber um ein Talentzertifikat oder durch die allerdings wachsende potente Kulisse der Verleger (nach einer privaten Zählung: fünfzehn) und Kritiker, als besonders auch durch die zahlreichen Mitläufer mancherlei Schattierung. Hier – und weniger bei den Verlegern [!], die immerhin ein gewisses Teilnahmerecht besitzen – sollte der von Hans Werner Richter angedrohte numerus clausus wirksam werden.« (Wagenbach, Gruppenanalyse, S. 151)

Durch die Preisvergabe an Grass und den nachfolgenden internationalen Erfolg der »Blechtrommel« – dem ersten Bestseller der jungen deutschen Nachkriegsliteratur – erfuhr der Andrang zu den Tagungen einen kräftigen Schub. Die Tagung in Aschaffenburg 1960 wuchs zur »Großveranstaltung« aus. In dieser Zeit konstatierte Heißenbüttel bereits eine »gewisse Repräsentanz« der Gruppe für den bundesdeutschen Literaturbetrieb (Heißenbüttel, Und es kam Uwe Johnson, 1960, S. 156). Die Gruppenprosperität begann ihre nachteiligen Wirkungen zu zeitigen. Aufgrund der unaufhörlichen Absorption von diversen literarischen »Talenten«, Methoden und Rezepten, mithin auch literarische Moden, veränderte sich nicht nur das Außenbild, sondern die innere Sturktur der Gruppe. Der Leitfaden der Zusammenkünfte wurde nicht mehr geknüpft von dem Ziel »sich in Freundschaft zu versammeln, um Literatur anzuhören und zu bewerten«, sondern »zu verwerten« (Hasenclever, Dichter und Richter, 1959, S. 144). Zu dieser Zeit bestimmte Rudolf Walter Leonhardt den Status der 47-Tagungen im Erwartungs- und Ereignisfahrplan des Kultursystems der Bundesrepublik wie folgt:

»Dies sind die beiden großen Ereignisse im alljährlichen Literaturbetrieb der Bundesrepublik: Die Messe der Bücher in Frankfurt und die Tagung der Gruppe 47 an jeweils wechselnden Orten. ›Große Ereignisse‹: denn die Literatur lebt davon, daß Leute darüber reden, darum streiten, leidenschaftlich Partei nehmen, sich in Extreme verrennen, Mittelwege und Maßstäbe suchen; Ereignisse des Literatur-Betriebes ...« (Leonhardt, Die Gruppe 47 und ihre Kritiker, 1959)

Der Weg zu einer mikroformatigen »Literatur-Messe«, einer Prominenten-Vereinigung (vgl. Linz, Literarische Prominenz in der Bundesrepublik, 1965, S. 88–97) zu Ende der fünfziger

Jahre traf das tradierte soziale Klima der Gruppe im Nerv. Bis in die frühen fünfziger Jahre war das Verhältnis zwischen Tagungsteilnehmern und Vorlesern etwa 2:1. In Aschaffenburg 1960 war die Relation 6:1. Durch die zusätzliche Einblendung der externen Öffentlichkeit in Form von direkten Mitschnitten des Rundfunks änderte sich zwangsläufig die gesamte Beeinflussungssituation, die auf das Leseverhalten der Autoren und die Urteilsbildung der Kritiker tief einwirkte. Die Struktur der Rivalitäten um literarische und literar-kritische Legitimität verhärtete sich. Die vorgestellten literarischen Erzeugnisse warteten auf ihre Wertsignifikation unter dem Vorzeichen der Konkurrenz.

»Es liest [...] Herr A., also die Summe aus erfolgreichen Romanen, Übersetzungen und Nachtstudios. Und dazu äußert sich nicht mehr Herr Z., sondern hinter den kritischen Impromptus stehen publizistische Positionen. Drumherum aber stehen Verleger, die sich über den Marktwert eines Autors Gedanken machen. So kommt es, daß nicht mehr bloß geschriebene und gesprochene Texte sich messen, sondern Größen.« (Kaiser, Physiognomie einer Gruppe, 1962, S. 47)

Die im Verhältnis von literarischen Privatproduzenten am Markt gesetzte Konkurrenz erschien zunehmend in konzentrierter Form innerhalb eines Segments des literarischen Marktes, den 47-Tagungen, nachdem die Einfallstore für die Öffentlichkeit immer weiter aufgerissen wurden. Die Verhältnisse wurden »sachlich«; es wurden Wertgrößen notiert. Damit tendierte die Gruppe zu einer Stätte von »Ausstellern literarischer Waren«, (Walser, Sozialisieren wir die Gruppe 47!, 1964, S. 369). Die Gegenstruktur dessen formte sich heraus, was eigentlich ursprünglich Konzept gewesen war, nämlich die freundschaftliche Werkstattgruppe.

Trotz der Versuche, diesen Tendenzen entgegenzusteuern, so z. B. durch die Reduzierung der Zahl der Tagungsteilnehmer 1961 in der Göhrde und 1963 in Saulgau, konnte die objektive Tendenz zur Vergrößerung und Repräsentativität nicht aufgehalten werden.

Die Struktur der Konkurrenz um literarisch-kulturelle Legitimität forderte von allen ihren Tribut, die Anpassung an die Institution sozial-literarischer Start- und Erfolgschancen. Dies hatte zwangsläufig einen fortschreitenden Motiv- und Verhaltenswandel derer, die sich auf den Tagungen mit ihren Texten vorstellten, zur Folge. Die Autoren ordneten sich der objektiven Gruppentendenz ein, indem sie ihren Lese-Habitus auf demonstrative Effekte einstellten. Resultat war, daß solche literarischen Erzeugnisse präsentiert wurden, die gleichsam für eine »Überraschung« gut schienen. Diejenigen, und dazu gehörten besonders die »Veteranen« der Gruppe, die nicht bereit waren, die Tradition des Realismus dem Gebot der Form-Überraschung zu opfern, fielen auf dem »elektrischen Stuhl« durch. Zwar »war stets evident, daß sich nur Texte einer bestimmten Machart zur Lesung und mündlichen Kritik eignen mochten«; in der Hochperiode aber wurde diese Orientierung zu einer mithin auch von Lektoren, die die Autoren berieten, mitgetragenen, durchkalkulierten Strategie.

»Indem der Autor, der vorzulesen gedachte, sich das gesagt sein ließ, sonderte er von vornherein alle Arbeiten aus, die diesen Erfolgsprinzipien widersprachen. Auch hier stand zu viel auf dem Spiel. Das Marktprinzip pervertierte jetzt bereits die literarische Produktion. Ein Autor produzierte bewußt einen Text, der die Chance in sich trug, von der Gruppe akzeptiert und damit vom Markt absorbiert zu werden.« (Mayer, Einleitung zu: Deutsche Literaturkritik Band 4, 1978, S. 51)

Die tagungsinternen Wandlungen waren begleitet von einem fortschreitenden Prozeß der kulturellen Verwebung der Gruppe 47 als Ganzes in das Gesellschaftssystem der Bundesrepublik. Diese Verwebung erfolgte zunächst langsam, aber doch stetig (Kröll, Gruppe 47, S. 112–120). Sie verlief über eine Fülle von Netzwerken und Querverbindungen zwischen Funkstationen, Zeitschriften und Lektoraten. Eine Reihe von Gruppenmitgliedern hatten Funktionen in diesen Segmenten des Literaturbetriebes. Nicht vergessen werden darf, daß Hans Werner Richter, wenn auch nur eine kurze Zeit lang, 1952 eine Quasi-Gruppenzeitschrift herausgegeben hat, »Die Literatur« (vgl. Heißenbüttel, Nachruf auf die Gruppe 47, 1971, S. 36). Alfred Andersch gab zwischen 1955 und 1957 die Literaturzeitschrift »Texte und Zeichen« heraus, welche ebenfalls eine Plattform für 47-Autoren bildete; Querverbindungen von der Gruppe 47 gab es darüber hinaus zur Zeitschrift »Akzente«. Der schon früh begonnene Prozeß bundesweiter Verankerung erhielt am Ende der fünfziger Jahre einen neuen Schub; die Kommunikationskanäle der Gruppe 47 entwickelten sich so vielgliedrig, daß sie zu einem Knotenpunkt literarisch-intellektueller Zirkulation auswuchs. Sie entwickelte sich über jene institutionellen Prozesse zu einer gleichsam *provisorischen literarischen Metropole.*

Der Sozialprozeß erfolgreicher Ausbildung zu einer strategischen literarischen Institution war es, der innerhalb der Gruppe ein Selbstbewußtsein förderte, das gegen Selbstreflexion oder gar Selbstkritik sich durchweg immun zeigte. Das im offiziösen politischen Bewußtsein der Restaurationsepoche sich heraufkündigende Selbstbewußtsein des »Wir sind wieder wer« hatte im belletristischen Durchschnittsbewußtsein der Gruppe durchaus seine Parallele.

Walter Hasenclever, Dichter und Richter. In: Der Monat, Jg. 11 (1959), (= in: Handbuch, S. 143–150).
Joachim Kaiser, Physiognomie einer Gruppe (1962). In: Almanach, S. 44–49.
Rudolf W. Leonhardt, Die Gruppe 47 und ihre Kritiker – Schriftsteller, Verleger und Rezensenten auf Schloß Elmau. In: Die Zeit vom 30. 10. 1959.
Gertraut Linz, Literarische Prominenz in der Bundesrepublik, Olten–Freiburg 1965.
Hans Mayer (Hrsg.), Deutsche Literaturkritik. Vom Dritten Reich bis zur Gegenwart (1933–1968), Frankfurt 1978, Bd. 4. (Leicht gekürzte Taschenbuchausgabe der 1972 in Stuttgart erschienen Ausgabe), S. 48–59.
Klaus Wagenbach, Gruppen-Analyse. In: Frankfurter Hefte, Jg. 14 (1959), (= in: Handbuch, S. 150–155).

6.3.3. »Siegeszug« der Literaturkritik

Im Übergang zu den sechziger Jahren kristallisierte sich innerhalb der Gruppe 47 eine Kritikerformation heraus, die die Fesseln einer »Hauskritik« endgültig sprengte. Walter Höllerer, Walter Jens, Joachim Kaiser, Hans Mayer und Marcel Reich-Ranicki, die bis heute die Szene der Literaturkritik mitprägen, standen im Zentrum des »kritischen Gewerbes«. Hinzu kamen noch Hans M. Enzensberger und Günter Grass, übrig gebliebene Erben der ehedem breitgestreuten Kollegenkritik, und eine gleichsam »zweite Reihe« von Kritikern, zu der z. B. Reinhard Baumgart und Roland H. Wiegenstein gehörten. Dieser Formationsprozeß veränderte das Legitimationsprofil der Kritik grundlegend. Das ursprüngliche gruppentypische Element spontaner, jedenfalls von akademischer Überfrachtung unbelasteter Kritik verschwand; das Gruppenrecht auf Kritik begründete sich in wachsendem Maße durch den Vorweis angehäufter Bildung und endlich akademischer Zertifikate. Die Institutionalisierung einer »gebildeten Kritik«, ausgestattet mit der sozial anerkannten Kompetenz eines »Berufskennertums«, wurde erkauft mit der tendenziellen Entmündigung der Autoren als Instanzen der Kritik. Diese Entmündigung vollzog sich innerhalb der Gruppe ohne offen ausgetragene Konflikte, nicht zuletzt weil von den professionellen Hauptkritikern eine starke, konfliktdämmende autoritative Suggestion ausging (vgl. Kröll, Gruppe 47, S. 76–83).

Im Ganzen wurde die Legitimität der Kritik gespeist von einer nachgerade gefühlsmäßigen Hingabe an die zeremoniale Virtuosität (»Eloquenz«) der Kritiker und von einer vorproblematischen Anerkennung ihrer Sachkompetenz als quasi-professionalisierte Literatur-Kenner. Letztlich war es – in völliger Abkehr von der antiakademischen Spitze des frühen 47-Kreises – der Bann der »imponierenden Bildung«, welcher der repräsentativen Kritik der Gruppe ihre gegen ernsthaften Legitimitätszweifel immune Aura der Seriosität verlieh. Gleichzeitig gewann die Kritik mehr und mehr an gruppenexterner, bundesdeutscher Repräsentanz. Die soziale Respektierung der institutionalisierten Kritik fungierte als Mechanismus des Vertrauens in die Zuverlässigkeit und Gültigkeit ihrer Kriterien und Urteilsresultate.

Umgekehrt akkordierte das Selbstbild der Kritiker mit dem vertrauensfrohen Stereotyp, das die Autoren von ihnen besaßen (Reich-Ranicki, Kritik auf den Tagungen der »Gruppe 47«, 1962). Jenen galt ihre unangefochtene, begabungsideologisch untermauerte »Berufung« zum kritischen Urteil als selbstverständlich. Unterstützt wurde diese Selbstgewißheit durch sekundäre Mechanismen sozialer Abschirmung. Dies geschah, indem das »Selbstvertrauen der unentwegt Meinenden« einerseits gespiegelt wurde in der publizistischen Selbstkommentierung innerhalb der gruppenübergreifenden literarischen Öffentlichkeit und andererseits vorbeugend geschützt wurde durch die Zurückweisung von Zweifeln an ihrer Legitimität in Form gängiger Vorweg-Unterstellung von Ressentiment bei denen, die wagten, solche Zweifel anzumelden, (so verfährt noch in der Retrospektive: Mayer 1978, S. 48/49).

Ihre soziologische Rahmenbedingung hatte die gruppenspezifische Genese *pontifikaler Kritik*, deren Prinzip lautete, »daß der soziale Wert des Geistes sich nach der sozialen Geltung derer richtet, die ihn produzieren« (Mannheim, zit. nach Adorno, Das Bewußtsein der Wissenssoziologie, 1969, S. 37), in der von den Inhabern sozio-ökonomisch gewichtiger verlegerischer Positionen bewußt geübten Zurückhaltung im Umkreis des Kritikverfahrens. Diese Zurückhaltung begünstigte die Erzeugung von Selbstmächtigkeitsbildern bei den dominanten Kritikern. Vor diesem Hintergrund wird erst die nachgerade unerschütterliche Selbstgewißheit und Gläubigkeit der Kritiker in die Gültigkeit der von ihnen gefällten ad hoc-Urteile über soeben gehörte Literatur verständlich.

Zwar handelte es sich bei diesen Urteilen um Präjudikationen, die am literarischen Markt noch korrigierbar oder revidierbar waren; aber kaum jemand – einschließlich der Verleger – zweifelte daran, daß die gruppeninternen Urteile eine normierende Wirkung für die literarische Öffentlichkeit hatten. Freilich, wirksam blieben die dem literarischen Marktgeschehen durchgängig innewohnenden Unwägbarkeiten, die für die Wertbestimmung ästhetischer Produkte aufgrund deren »doppelgesichtiger Wirklichkeit, Ware und Signifikation«, typisch sind (Bourdieu 1970, S. 82; vgl. May, Über die Produktion von Literatur, S. 44 f.).

»Jäh«, so der 47-Kritiker Hans Mayer in der Rückschau, »travestierte sich auch die Kritik, die ursprünglich kameradschaftlich und zunftgerecht gewesen war, in prominentes Expertentum, wobei sie selbst als Ware auf dem Markt erschien. Kritik degenerierte zur Marktexpertise, empfand sich selbst als solche und verhielt sich von nun an marktgerecht.« (Mayer, 1978, S. 50)

Auf diese Weise »wurden die Kritiker zur eigentlichen internen Prominenz: sie verwalteten das öffentliche Ansehen der Autoren und wußten um ihre daraus resultierende Macht« (Schroers, Gruppe 47 und die deutsche Nachkriegsliteratur, 1965, S. 387). Der kulturelle Erfolg mußte der repräsentativen Kritik recht geben und sie darin bestärken, daß auch sie, nachdem die bundesdeutsche Literatur den Anschluß an die literarische Weltzirkulation wieder gefunden hatte, die Höhe des »Weltniveaus« erreicht habe (kritisch hierzu Piwitt, Klassiker der Anpassung, S. 19).

Das Eigentümliche der Geschichte der Literaturkritik der Gruppe 47 bestand darin, daß deren Kriterien so gut wie nie problematisiert und relativiert worden sind. Es gab so etwas wie ein gruppenpraktisches Korrektiv, insofern das Urteil der repräsentativen Kritik im Falle anstehender Preisvergaben sozusagen demokratisiert wurde. An der Abstimmung durfte sich das gesamte Auditorium beteiligen. Aber es darf füglich unterstellt werden, daß bei der Urteilsbildung des Tagungsauditoriums die zuvor geäußerten Urteile der Hauptkritiker präformierend wirkten. Eine separate Studie über die Geschichte der

47-Kritik unter dem Gesichtspunkt ihrer Urteilssicherheit bzw. Fehlurteile steht noch aus.

Hans Mayer räumte später ein, daß der »kritische Pluralismus« deutliche Schranken aufwies; daß bestimmte literarische Konzeptionen vorweg nicht nur aufgrund von individuellen Fähigkeitsgrenzen der Kritiker außerhalb der »pluralistischen Universalzuständigkeit« (Schroers, S. 385) standen. So erinnert sich Mayer beispielsweise: »bisweilen wurden Texte der Agitationslyrik vorgetragen, das Unbehagen danach war evident« (Mayer 1978, S. 53). Allemal wurde Literatur vorproblematisch identifiziert mit »schöner Literatur« (ebd., S. 52/53). Diese standardisierte Identifizierung bezeigt, daß die Gruppe 47 – und nicht nur ihre Literaturkritik – symptomatisch ein »belletristisches Zeitalter« spiegelte, an dessen Blüte sie mitwirkte.

Theodor W. Adorno, Das Bewußtsein der Wissenssoziologie. In: Prismen. Kulturkritik und Gesellschaft, Frankfurt 1969 (Erstauflage 1955), S. 32–50.

Hannelore May, Über die Produktion von Literatur. Versuch einer sozio-ökonomischen Einordnung der Literaturproduzenten. In: *Frank Benseler, Hannelore May, Hannes Schwenger*, Literaturproduzenten! (1970) – Voltaire Handbuch 8, S. 41–57.

Hermann Peter Piwitt, Klassiker der Anpassung. In: Literaturmagazin 1 (1973), S. 15–23.

Marcel Reich-Ranicki, Kritik auf den Tagungen der »Gruppe 47« (1962). In: *Marcel Reich-Ranicki*, Wer schreibt, provoziert. Kommentare und Pamphlete, München 1966, S. 57–63.

6.3.4. Einzug in das »Museum der modernen Poesie«

An dem, was von der Gruppe 47 in der Hochperiode an neuen Autoren integriert und literarischen Mustern goutiert wurde, wie umgekehrt an dem, was gleichsam in der Versenkung verschwand, kommt ein Kapitel bundesdeutscher literarischer Entwicklung zum Vorschein, das in einigen literaturhistorischen Analysen und Übersichten unter dem Stichwort »Tendenzen der sechziger Jahre« ansatzweise erst beschrieben worden ist (vgl. Grenzverschiebung. Neue Tendenzen in der deutschen Literatur der sechziger Jahre, 1970; Die Literatur der Bundesrepublik Deutschland, 1973; Thomas/Bullivant, Westdeutsche Literatur der sechziger Jahre, 1975). Die Gruppe 47 bildete zu dieser Zeit schon mehr denn bloß eine »literarische Gemeinschaft« (Mayer, In Raum und Zeit, 1962, S. 52). Ihre Identität oszillerte um den Literaturprozeß, der innerhalb einer eingemauerten Subsinnwelt, relativ distant gegen die gesellschaftliche und historische Wirklichkeit, erschien (vgl. Kröll, Die Eigengruppe als Ort sozialer Identitätsbildung, 1978). Für die Gruppe in ihrer Blüte traf zu, was Martin Doehlemann für die bundesdeutsche Literaturwelt generell empirisch ermittelte: »Der unmittelbare soziale Horizont der Literaten ist auffällig eng« (Doehlemann, Junge Schriftsteller, 1970, S. 22). Diese Tendenz zur Einkapselung in die Eigenwelt der Literatur, die sich auf den Literaturprozeß selbst auswirkte, wurde von der Gruppe 47 entschieden begünstigt. So notierte Hans Schwab-Felisch 1962 zur Berlin-Tagung:

»Als Phantome aus einer längst entschwundenen Vergangenheit in hingeworfenen Bemerkungen auftauchende Restbestände aus der ursprünglichen Verquickung von Literatur und Politik werden sofort weggewischt; innerliterarische Kategorien und Betrachtungen überdecken sie sofort. Die Sphären sind endgültig sauber voneinander getrennt.« (Schwab-Felisch, Die Grenzüberschreitung als Literatur, 1962, S. 167/168)

Diejenigen Schriftsteller, welche sich nicht einpaßten in den restringierten Horizont einer »schönen Literatur«, die vor allem am *Formproblem* sich interessiert zeigte, gerieten unter das »Fallbeil« der 47-Literaturkritik, die ihrerseits an der Maxime der Form-Überraschung sich orientierte. Nicht zufällig war es Wolfdietrich Schnurre, der in dieser Phase Unzufriedenheit artikulierte:

»Die Kritik der Gruppe 47 geht diesen Weg (der Literatur ›der formalen Experimente‹ statt ›einen Menschen zu schildern‹) ins Esoterische, das war zu beobachten, neuerdings mit [. . .] Die Gefahr der Überbetonung des rein Handwerklichen, der bloßen Machart ist evident. Und selten waren die Grenzen dieser Kritik so deutlich zu erkennen wie jetzt, da sie den Inhalt hinter die Form zurücktreten läßt. Allein ihr auf ein paar Dutzend Signalworte wie ›Sprachmaterial‹, ›Klischee‹, ›mathematische Durchstrukturierung‹, ›Textfläche‹ oder ›Realitätsraster‹ zusammengeschrumpftes Vokabular [. . .] zeigt die Einengung deutlich.« (Schnurre 1962, Verlernen die Erzähler das Erzählen?, S. 170/71)

Diese »chevalereske Kümmerform der Kritik« (ebd., S. 171/72) reflektierte jene literarischen Tendenzen, die zu Anfang der sechziger Jahre Platz griffen, einer Literatur der »esoterischen und mechanisierten Ersatzwelt« (ebd., S. 170). Umgekehrt leistete die Reaktionsweise der Kritik der Entfernung vom Realismus ihrerseits Vorschub.

Im gleichen Jahr resümierte Joachim Kaiser nicht ohne Anflug von Stolz, daß mit der seit der Preisverleihung an Ilse Aichinger und Ingeborg Bachmann eingeleiteten pluralisierenden Ästhetisierung und Technifizierung des literarischen Angebots »die Gruppe unwidersprechlich vor dem dummen Ruf [sich] bewahrt [habe], sie kümmere sich nur um Trümmerliteratur, Kahlschlag-Realismus, Derbheiten« (Kaiser, Die Gruppe 47 in Berlin, 1962, S. 177). Dieser Bilanz ging eine herbe Abrechnung mit den Autoren der neorealistischen Tradition voraus, sofern sie überhaupt das Risiko eingegangen waren, noch einmal vor der Gruppe zu lesen. 1960 auf der Monumentaltagung in Aschaffenburg wurde u. a. Walter Kolbenhoff Opfer einer Kritik, die primär formal-geschmäcklerische literarische Bewertungskriterien, den Fetisch Form, zur Anwendung brachte. Lakonisch vermerkte ein Beobachter des »Untergangs« derjenigen literarischen Grundauffassung, die in der Konstitutionsperiode der Gruppe Pate gestanden hatte: »Eine Reihe von Autoren, die zu den älteren Mitgliedern der Gruppe gehören, schnitt schlecht ab. Leerläufe machten sich bemerkbar.« (Heißenbüttel, Und es kam Uwe Johnson, 1960, S. 157)

»Leerläufe« aber hieß mit der Wende zur Literatur der sechziger Jahre innerhalb der Gruppe 47, daß Autoren keine neuen formalen Raffinements präsentierten. Obgleich die »Schule des neuen Realismus«, gruppiert um Dieter Wellershoff das Etikett Realismus führte, und wähnte, gleichsam gegen die herrschenden Tendenzen der Gruppe zu schreiben, wurde sie dennoch akzeptiert. Nicht der Versuch der Restitution des Realismus freilich wurde anerkannt, sondern das Auftreten einer neuen Gestaltungstechnik; denn alles was modale Neuheiten bot, was den Weg des scheinbar »paradoxen Zusammenhangs zwischen der ›Technifizierung‹ der Literatur, das heißt der Überbetonung des Machens, der Macharten, der Darstellungsmittel, einerseits und der Verinnerlichung, das heißt der auf reinen Ich-Ausdruck insistierenden Aussage, andererseits« beschritt, konnte zumindest eines kulinarischen Vorinteresses innerhalb der Gruppe sicher sein (hierzu Batt, Revolte intern, 1974, S. 7–13). Hierunter fielen beispielsweise die Periode von Peter Weiss, aus der er sein Prosastück, »Der Schatten des Körpers des Kutschers« (1960), in der Gruppe vorstellte, ebenso wie die Texte, die Konrad Bayer mit »größtem Erfolg bei der Versammlung« vortrug (Krüger, Wer dazugehört, bleibt Geheimnis, 1963, S. 187). Anzumerken ist, daß die erst später zur Geltung kommenden literarischen Tendenzen, wie sie von der »Wiener

Gruppe« initiiert worden sind, innerhalb der Gruppe 47 sich nicht fest verankern konnten; hierfür schien die Kritik überfordert zu sein – sieht man vielleicht von Walter Höllerer ab (ebd., S. 187).

Vor dem Horizont des Konsens darüber, daß die »schöne Literatur« die Welt sei, für die die Gruppe einstehe, ist es verständlich, daß sie bis auf wenige Ausnahmen, zu ihnen gehört Paul Schallück, von der »Dortmunder Gruppe 61« kaum Notiz nahm (vgl. Lattmann, Stationen einer literarischen Republik, 1973, S. 119). Der Blick der Gruppe 47 war gerichtet auf den Einzug in das »Museum der modernen Poesie« (Enzensberger 1960), d. h. auf die Eingliederung sowie Identifikation mit dem vielstimmigen transnationalen Chor, der die »Weltsprache der modernen Poesie« (Enzensberger 1962) rezitiert. Das von Enzensberger artikulierte literarische Welt-Bild wurde nicht nur von der Gruppe 47 geteilt, sondern bildete eine literaturhistorische Konstante in der Bundesrepublik.

Diesem Grundzug entsprach die Ausblendung des Essays als Gattung aus den 47-Tagungen, obgleich er in der frühen Zeit (Andersch) Fuß zu fassen schien (vgl. Friedrich, Hat die junge Dichtung eine Chance?, 1947, S. 25–27). Die Ausblendung des Essays hatte letztlich seine Wurzel darin, daß er die Gefahr barg, die Norm der Entpolitisierung und des Theorieverbots gleichsam hinterrücks zu verletzen.

Den Präferenzen bzw. Abwehrhaltungen der Gruppe auf der genuin literarischen Ebene entsprach das gruppentypische Desinteresse am »soziologischen Untergrund« des Schreibens. Sozio-ökonomische und berufspolitische Aspekte waren der Gruppe kein Thema, ihr Begriff von Literatur war von den genannten Dimensionen vollends abgetrennt. Obgleich gerade auch in den fünfziger Jahren viele Autoren durch den Funk ihre ökonomische Basis sicherten, fanden die medienspezifischen Tagungen »außer der Reihe«, die von Richter 1960 und 1961 veranstaltet wurden, nur wenig Resonanz bei der Mehrzahl der Gruppenmitglieder (vgl. Mauz, Wie wird sich das Hörspiel arrangieren, 1960; Drommert, Elfenbeinturm und Fernsehen, 1961). Diese Distanz zur »Profaneität« ökonomischer und technisch-industrieller Fragen, die den »Autor als Produzenten« (Walter Benjamin) betreffen, darf als Indiz für die tiefsitzende Fixierung auf ein traditionelles, schöngeistiges Bild von Literatur und Schriftstellerexistenz interpretiert werden.

Kurt Batt, Revolte intern – Betrachtungen zur Literatur in der BRD, Leipzig 1974.
Martin Doehlemann, Junge Schriftsteller – Wegbereiter einer antiautoritären Gesellschaft? In: Analysen 6, Opladen 1970.
René Drommert, Elfenbeinturm und Fernsehen. In: Die Zeit vom 21. 4. 1961 (= in: Handbuch, S. 252–255).
Hans M. Enzensberger, Vorwort zu: Museum der modernen Poesie. Eingerichtet von Hans M. Enzensberger, Frankfurt 1960, S. 8–20.
Hans M. Enzensberger, Weltsprache der modernen Poesie (1962). In: H. M. Enzensberger Einzelheiten II. Poesie und Politik, Frankfurt 1964, S. 7–28. (Dieser Essay ist eine überarbeitete Fassung des Vorworts zu »Museum der modernen Poesie«)
Grenzverschiebung. Neue Tendenzen in der deutschen Literatur der 60er Jahre. Hrsg. von *Renate Matthaei,* Köln–Berlin 1970.
Joachim Kaiser, Die Gruppe 47 in Berlin. In: Das Schönste (Dezemberheft 1962), (= in: Handbuch, S. 174–179).
Hanspeter Krüger, Wer dazugehört, bleibt Geheimnis. In: Der Tagesspiegel vom 1. 11. 1963 (= in: Handbuch, S. 185–188).
Gerhard Mauz, Wie wird sich das Hörspiel arrangieren? In: Die Welt vom 3. 6. 1960 (= in: Handbuch, S. 248–251).
Wolfdietrich Schnurre, Verlernen die Erzähler das Erzählen? In: Die Welt vom 31. 10. 1962 (= in: Handbuch, S. 169–174).
Hans Schwab-Felisch, Die Grenzüberschreitung als Literatur. In: Der Tagesspiegel vom 30. 10. 1962 (= in: Handbuch, S. 167–169).
R. Hinton Thomas/Keith Bullivant, Westdeutsche Literatur der sechziger Jahre, dtsch. München 1975 (Originalausgabe: Literature in upheaval. West German writers and the challenge of the 1960s, 1974).

Zum Verhältnis von »Gruppe 47« und »Dortmunder Gruppe 61«:
Max von der Grün, Chronologie einer Verspätung / Wie es doch noch zu einer Literatur der Arbeitswelt kam. In: Literaturmagazin 7 (1977), S. 373–380.
Urs Jaeggi, Das Dilemma der bürgerlichen und die Schwierigkeiten einer nichtbürgerlichen Literatur. In: *Peter Kühne,* Arbeiterklasse und Literatur, S. 23–30.
Peter Kühne, Arbeiterklasse und Literatur – Dortmunder Gruppe 61, Werkkreis Literatur der Arbeitswelt, Frankfurt 1972.

6.4. Spätperiode und Zerfall (1964–1967)

Die Spätperiode der Gruppe 47 umfaßt den Zeitraum zwischen der Tagung in Sigtuna, einem äußeren Glanzpunkt der Gruppengeschichte, der in Wirklichkeit ein Triumph der repräsentativen Kritik war, und der letzten offiziösen Tagung in der Pulvermühle bei Erlangen 1967, auf der die innere Dissoziierung in der äußeren Gestalt des vor der Tagungsstätte auftretenden Erlanger SDS erschien. Die späte Entwicklung der Gruppe 47 ist durch ein eigentümliches Zusammenfallen literarisch-kultureller Ereignisreihen und gesamtgesellschaftlicher Vorgänge gekennzeichnet: je mehr die Gruppe gesellschaftlicher Determination sich enthoben dünkte, desto fester geriet sie in die Fänge bundesdeutscher Realgeschichte.

6.4.1. Ende der Rekonstruktionsphase der bundesdeutschen Gesellschaft

Was der bundesdeutschen Literatur nicht zuletzt durch den aktiven Beitrag der Gruppe 47 in den frühen sechziger Jahren endgültig gelang, der Wiederanschluß an den literarischen Weltmarkt, erreichte auf ihrem Feld auch die bundesdeutsche Ökonomie; diese gliederte sich zu Mitte der sechziger Jahre wieder in den internationalen kapitalistischen Reproduktions- und Krisenzyklus voll ein. Die ökonomischen Erschütterungen der bundesrepublikanischen Gesellschaft, von der man in der Gruppe 47 glaubte, daß sie sich krisenfrei stabilisiert habe (vgl. z. B. Walser, Skizze zu einem Vorwurf, 1961), wirkten sich sowohl politisch wie literarisch-kulturell nachhaltig aus. Es war ein Schriftsteller, der nicht aus dem Umkreis der Gruppe 47 stammte, nämlich Rolf Hochhuth, der nicht nur die aufkommende politisch-kulturelle Legitimationskrise antizipierte bzw. durch sein Theaterstück, »Der Stellvertreter« (1963), an ihr mitwirkte; es war auch Hochhuth, der den Aspekt der politischen Ökonomie wieder ernsthaft in die literarisch-intellektuelle Diskussion einbrachte (Hochhuth, Der Klassenkampf ist nicht zu Ende, 1965).

Von den sich anbahnenden Entwicklungen zeigte sich die Gruppe 47 passiv betroffen; »Seismographen« in einem aktiven Sinn »waren sie nicht«, wie Schnurre 1961 schon vor dem Horizont des »Mauerbaus« anmerkte (S. 159). Was insbesondere die politische Ökonomie, das Verständnis materieller gesellschaftlicher Verhältnisse anging, zeigte sich der Durchschnitt der Gruppe 47 als »sprachlose Intelligenz« (vgl. Michel, Die sprachlose Intelligenz, 1968).

Die Folgen des augenscheinlich gewordenen Niedergangs der Adenauer-Ära, woran auch einige 47-Schriftsteller außerhalb der Gruppengrenzen publizistisch mitgewirkt hatten, indem sie sich 1961 für die als »politische Morgenröte« empfundene SPD stark machten (vgl. Die Alternative oder Brauchen wir eine neue Regierung?, 1961), fanden innerhalb der Gruppe 47 kaum angemessene Reflexion. Zu sehr hatte sie sich eingenistet in die Literatur- und repräsentative Kulturwelt. Erst als die »Morgenröte« mit der Bildung der Großen Koalition zwischen CDU und SPD 1966 sich zu verfärben begann, kam es zu offenen politischen Spannungen innerhalb der Gruppe, deren Repräsentanten Günter Grass auf der einen und Erich Fried auf der anderen Seite waren (vgl. Fried, Grass oder Gruppe, 1967).

Die institutions- und kulturkritische Schübe, ausgelöst durch die Studentenbewegung, ihrerseits Reflex bundesdeutscher, sozio-ökonomischer und politischer Krisenerscheinungen, verschärft durch ein spontanes Aufflackern einer im wesentlichen moralisch motivierten Imperialismuskritik, zumal entzündet an der Vietnam-Politik der USA, trafen die Gruppe unvorbereitet. Die spektakuläre Tagung in der Pulvermühle 1967 zeigte dies deutlich, insofern als gewichtige Teile der Gruppe 47, so z. B. Hans Werner Richter und Günter Grass, die Aufforderung der Erlanger SDS-Studenten nach politischer Standortbestimmung der Gruppe 47 als nichts anderes denn Störung bzw. unerwünschte Politisierung empfanden. Die Gruppe reagierte von ihrer Leitung her kaum unterschiedlich zu anderen kulturellen und akademischen Institutionen, die von der studentischen Protestbewegung ergriffen wurden; Indiz dafür, wie sehr sie sich ins Kultursystem der Bundesrepublik eingegliedert hatte.

Vor dem Horizont krisenhafter gesellschaftlicher Entwicklung enthüllte sich auch, daß die Gruppe im Innern weniger homogen war, als es für Mitglieder wie Außenstehende den Anschein gehabt hatte. Mitglieder wie Hans M. Enzensberger registrierten die Zeichen der Zeit und eilten an die Spitze der Protestbewegung nicht nur gegen die eigene belletristische Vereinigung, die Gruppe 47. Enzensberger gehörte zu denen, die den »Tod der Literatur« überhaupt öffentlich artikulierten (vgl. Kursbuch 15, 1968. Dort besonders K. M. Michel, Ein Kranz für die Literatur; H. M. Enzensberger, Gemeinplätze, die Neueste Literatur betreffend).

Trotz der sich abzeichnenden Krise der Gruppe, ihrer inneren Dissoziierung, war beabsichtigt, eine weitere Auslandstagung im Herbst 1968 in Prag abzuhalten, gleichsam als »Krönung des Prager Frühlings«. Der Prager Herbst von 1968 erwies sich als wenig geeigneter Ort, um ungebrochen die Tradition restringierter Literaturtagungen fortzusetzen.

Ob die Gruppe 47 aufgrund ihrer internen Verfassung, der zugespitzten Konflikte über die Frage des Verhältnisses von Literatur und Politik, von Schriftsteller und Gesellschaft, von politischer Aktion und literarischer Kontemplation ausgehalten hätte, ist eine spekulative Frage. Tatsache ist, daß mit der Tagung 1967 die Tagungsgeschichte der Gruppe 47 zum Stillstand gekommen ist.

Die Alternative oder Brauchen wir eine neue Regierung? Hrsg. von *Martin Walser*, Reinbek 1961.

Erich Fried, Grass oder Gruppe. In: Konkret, (Nov. 1967), S. 54/55.

Rolf Hochhuth, Der Klassenkampf ist nicht zu Ende (1965). In: Rolf Hochhuth, Krieg und Klassenkrieg. Studien, Reinbek 1971, S. 21–48.

Karl Markus Michel, Die sprachlose Intelligenz, Frankfurt 1968, bes. S. 63–124.

Wolfdietrich Schnurre, Seismographen waren sie nicht. In: Die Welt vom 3./4. 11. 1961 (= in: Handbuch, S. 159–163).

Martin Walser, Skizze zu einem Vorwurf. In: Ich lebe in der Bundesrepublik, hrsg. von *Wolfgang Weyrauch,* München 1961, S. 110–114.

6.4.2. Institutionale Entfaltung und interne Auflösung

Mit den Tagungen in Sigtuna 1964 und Princeton 1966 erlebte die Gruppe 47 ihre gleißenden Höhepunkte. Im Anschluß an die Tagung von Princeton fiel das Stichwort vom »schwindelerregenden Auftrieb, der sie zu einem inoffiziellen Aushängeschild der deutschen Kultur gemacht hat« (Handbuch, S. 219; vgl. auch Härtling, Repräsentanten, 1964). Nachdem die Gruppe als literarisches Organ der Sammlung und Förderung der jungen deutschen Nachkriegsliteratur ihre Entdeckungs- und Werbeleistungen in Sachen Literatur mit der Preisvergabe an Grass gekrönt, mit der Preisverleihung an den DDR-Lyriker Johannes Bobrowski 1962 ihre Literatur sortierende Fähigkeiten noch einmal offenkundig gemacht hatte, schien nach der »stillen« Tagung von 1963 in Saulgau kaum mehr eine literarische Wertsteigerung der Gruppe möglich. Auf dem Höhepunkt der selbstgewissen Erfolge bestand die Gefahr, in Routinebildung und Trivialisierung zu erstarren, Grundzug jeglicher Institutionalisierung und besonders problematisch für eine Institution, die dem Gesetz der Novitätenerzeugung am literarischen Markt unterworfen war. Dieses Gesetz lautete, immer neue Stufen der Erzeugung literarischer Ereignisse und kultureller Überraschungen zu erklimmen.

Sigtuna stellte eine solche neue Stufe dar, insofern die Gruppe 47 sich in Schweden nur noch sekundär als Vereinigung präsentierte, deren Kern literarische Produktion darstellte. Sigtuna war der Endpunkt einer Entwicklung, in deren Verlauf die Literaturkritik als gruppeninterne Institution gegen die Lesung bzw. die Autoren sich verselbständigte in dem Maße, daß von dieser Tagung vor allem die beeindruckende Selbstdarstellung der »Starkritiker« im öffentlichen belletristischen Bewußtsein haften blieb. Mit dem »Triumph der Kritik« erzielte die Gruppe noch einmal einen neuen Aufmerksamkeitsschub. In Reaktion auf die hyperrepräsentative Tagung von Sigtuna traf sich die Gruppe zu einer stilleren Zusammenkunft in Berlin 1965, auf der der »stille« Peter Bichsel den Preis zugesprochen bekam. Als Institution kultivierte die Gruppe Repräsentation, literarisch erwies sie der »Idylle« ihre Referenzen (Karasek, Sieg eines Idyllikers, 1965). 1966, mit dem Flug nach Princeton, kulminierte die Tagungsgeschichte im Großereignis. »Welcome Gruppe 47«, mit diesem Eingangstransparent empfing Princeton die Gruppe (Wohmann, Die Siebenundvierziger in Princeton, 1966).

Kritiker-Triumph und internationale Literatur-Großveranstaltung deuteten auf einen Prozeß hin, der im Innern der Gruppe zu sich verschärfenden Konflikten führen mußte: das Unbehagen an gesellschaftlicher Überintegration breitete sich beschleunigt aus.

Die Repräsentations-Tendenzen hatten gruppenstrukturelle Folgen. Die am Leitfaden der Qualitätsauslese orientierte und durch einen rigorosen literarischen Pluralismus abgesicherte Einsozialisierung jeweils neuer literarischer Generationen trieb einen eigentümlichen Zentralisationsprozeß hervor, in welchem das sozial-literarische Umfeld der Gruppe tendenziell entleert und gleichzeitig die soziale und literarische Komplexität bzw. Heterogenität innerhalb der Gruppe hochgradig gesteigert wurde. Resultat war eine Überdehnung der gruppentypischen Flexibilität. Sie entwickelte sich soziologisch gesehen zu einer kaum noch im Innern verstrebten Gruppe; sie wurde letztlich nur noch zusammengehalten vom institutionellen Erfolg. Auf die Tagungen senkte sich die Last der Selbstüberforderung. Mit einer informellen Struktur konnten die wachsenden sozialen und kulturellen Anforderungen an die Gruppe kaum noch bewältigt werden. Symptomatisch wurden die Grenzen sichtbar an der Aufnahmequalität der Kritik-Apparatur. Nach Sigtuna wurden verstärkt Zweifel angemeldet, ob sie denn überhaupt noch zu den immer neu in die Gruppe einströmenden literarischen Modellen sachangemessen sich verhalten könnte. Der unaufhörliche Zufluß unterminierte das Bild einer seriösen Kritik, je mehr diese alles und jedes sich zumutete.

Der Charakterwandel der Gruppe veränderte das Verhalten derjenigen Autoren der letzten literarischen Generation, die zur Gruppe Zugang fanden. Vorwiegend wurde das Tagungsszenarium, Lesung und Kritik, unter pragmatischem Blickwinkel betrachtet; d. h., die Tagungen wurden folgerichtig instrumentiert als Orte *demonstrativer Publizität*. Peter Handkes berühmt gewordener Auftritt in Princeton, weit entfernt von politischer Motivation, war nichts anderes als die individuelle Instrumentierung einer Institution, die sich selbst zum fungiblen Publikationsinstrument zugerichtet hatte. Handke spielte dem inneren Zustand der Tagungen deren eigene Melodie vor (vgl. Heißenbüttel, Peter Handkes Ruhm, 1969).

Vor diesem Entwicklungshintergrund denaturierte die idyllisierende Gruppenlegende zur bloßen Ideologie. Gleichwohl wurde auch noch 1967 unbekümmert an der Legende von »der Gruppe, die keine Gruppe ist« gewoben (Hollander, Das Geheimnis der Gruppe 47, 1967). Demgegenüber erschien Böll das Tagungsgeschehen als »eine Aufforderung zu einem perversen Gesellschaftsspiel« (Böll, Angst vor der Gruppe 47?, 1965, S. 393), an dem er sich nicht mehr beteiligen mochte.

Nicht nur Böll war es, der die Tendenzwende vom Pluralismus zur »Promiskuität« (ebd., S. 397) kritisierte. Der Prozeß innerer Fraktionierung und Subgruppenbildung, spätestens seit Sigtuna eingeleitet, ließ sich nicht mehr aufhalten. 1966 begann Joachim Kaiser ahnungsvoll Bilanz zu ziehen.

»Hat es gelohnt? Im ganzen schon. Doch weil die Gruppe in Untergruppen auseinanderzufallen beginnt [...], weil die Trennung zwischen Kommerzialität und Arbeitstagung nicht mehr gegeben scheint, darum gehört die Gruppe 47 zu den Institutionen, auf deren Ende man sich vorbereiten soll. Zwanzig Jahre sind viel, sehr viel.« (Kaiser, Drei Tage und ein Tag, 1966, S. 225)

Zwar überdeckte der von den Medien aufmerksam registrierte Auftritt Handkes in Princeton mit seinem Pauschalvorwurf, die Literatur der Gruppe zeichne sich negativ durch »Beschreibungsimpotenz« aus (vgl. Zimmer, Gruppe 47 in Princeton, 1966, S. 233), noch die wirklich bedeutsamen Triebkräfte der Dissoziierung. Während Handke freundlich-väterlich von der Gruppe umarmt wurde, weil »er diese Konfrontation nicht mit Kritik [verband], sondern mit einer Beschimpfung, die in der Negation den Abgelehnten dennoch nicht ernstlich wehtut, sie nicht provoziert« (Heißenbüttel, Peter Handkes Ruhm, 1969, S. 348), wirkte das kritische Auftreten von Peter Weiss, Reinhard Lettau und Hans M. Enzensberger in den USA zur Zeit der Princetoner Tagung tiefer. Indem sie offen gegen die Intervention der USA in Vietnam Stellung nahmen, verletzten sie die gruppenspezifische Norm politischen Quietismus. Wozu die Gruppe von außen zunehmend gedrängt wurde, nämlich zur politischen Artikulation, begann allmählich im Innern Wirkung zu zeigen. Während die Angriffe von kulturkonservativer Seite die Gruppe immer homogenisierten, wie im Falle der aggressiven Unterstellung des damaligen CDU-Generalsekretärs Herrmann Josef Dufhues im Jahr 1963, die Gruppe sei eine »geheime Reichsschrifttumskammer«, setzten die Angriffe von Positionen der politisch-intellektuellen Linken Sezessionierungsprozesse frei. Von dieser Seite her wurde zunächst das politisch-intellektuelle Selbstverständnis der Gruppe öffentlich befragt, bis sie endlich als Gruppe selbst in Frage gestellt wurde. Der »Schwebezustand [...] zwischen Formlosigkeit und Organisation, zwischen Privatissimum und öffentlichem Kongreß« (Zimmer 1966, S. 228) ließ sich in politisch-ideologischer Perspektive nicht mehr aufrechterhalten. Die innerhalb der Gruppe und zwischen Gruppenmitgliedern und Schriftstellern außerhalb der Gruppe sich neu bildenden Koalitionen kreisten um die Grundfrage des politischen Engagements der Gruppe wie von Literatur überhaupt (vgl. Walser, Engagement als Pflichtfach für Schriftsteller, 1968).

Die Gruppe verfügte weder über die Substanz, noch besaß sie geeignete Strukturmechanismen, um die einmal begonnenen Sezessionierungstendenzen zu unterbinden. Gerade unter dem von außen aufgezwungenen Druck, den eigenen politischen Standort zu explizieren, wurde offenkundig, daß es ihr an genügender Orientierungshomogenität fehlte, die sie in diesem Bereich handlungsfähig gemacht hätte. Dies zeigte sich besonders in der Frage, wie denn der für die Gruppe spezifische Antifaschismus inhaltlich beschaffen sei. Zu vielgestaltig und zum Teil gegensätzlich enthüllten sich die Verständnisse von Faschismus und Antifaschimus (vgl. Kröll, Gruppe 47, S. 147 ff.; ders., Profil der Gruppe 47, 1978). Der Mangel an offener Selbstverständigung über literarische und politisch-ideologische Positionen begann sich zu rächen. Die übrig gebliebenen sozialen Bänder erwiesen sich als zu schwach; die einende Rückzugsposition auf die Eigenwelt Literatur, ihre fiktionale Bestimmung in einem scheinbar ideologiefreien Raum erwies sich im

Zeichen der sozialen Literaturbewegung, der Parolen vom »Tod der Literatur«, einschließlich der Wende zur dokumentarischen Literatur, als obsolet. Damit bröckelte das letzte Fundament des Gruppenzusammenhangs ab. Das »unregelmäßige Vieleck« (Böll 1965, S. 389) mit heterogenen Orientierungen, die bis dato im Dunkeln des Unausgesprochenen lagerten, zeigte beschleunigt zentrifugale Effekte.

In letzter Instanz fiel die Gruppe 47 dem ökonomisch-sozialen Strukturwandel des literarischen Marktes zum Opfer. Die allgemeine Legitimationskrise der sozial-kulturellen Institutionen bewirkte eine Eruption des herrschenden Bewußtseins innerhalb der »ideologischen Stände«, insbesondere der literarischen Intelligenz. Für die Gruppe 47 bedeutete dies, daß ihr elitaristisches, belletristisches Bewußtsein abzudanken begann vor der Einsicht, daß man »im Windschatten der Prominenz« sich die relevanten »Probleme hat verschleiern lassen« (Böll, Ende der Bescheidenheit, 1969). Es waren die berufspolitischen Folgen des Strukturwandels der gesellschaftlichen Lage der literarischen Intelligenz, welche dazu beitrugen, daß die überkommene Form der Selbstverständigung, Selbstdokumentation und individuellen Chancenwahrnehmung von Schriftstellern, wie sie in der Gruppe 47 statt hatte, zerfiel. Auf die neuen Problemstellungen war die Gruppe aufgrund ihrer von Organisationsfeindlichkeit bestimmten strukturellen Anlage wie ihres Selbstverständnisses nicht eingestellt (hierzu Walser, Für eine IG Kultur, 1970).

Heinrich Böll, Ende der Bescheidenheit. Zur Situation der Schriftsteller in der Bundesrepublik. Rede anläßlich der Gründung des Verbands deutscher Schriftsteller (VS) am 8. Juni 1969. In: Poesie und Politik. Zur Situation der Literatur in Deutschland. Hrsg. von *Wolfgang Kuttenkeuler,* Stuttgart–Berlin–Köln–Mainz 1973, S. 347–357.

Peter Härtling, Repräsentanten. In: Der Monat, Jg. 16 (1964), (= in: Handbuch, S. 203–205).

Helmut Heißenbüttel, Peter Handkes Ruhm. In: Merkur Jg. XX (1966). Wiederabgedruckt in: *Helmut Heißenbüttel,* Zur Tradition der Moderne, S. 346–357.

Jürgen von Hollander, Das Geheimnis der Gruppe 47. In: Brockmanns gesammelte Siebenundvierziger. 100 Karikaturen literarischer Zeitgenossen, München 1967, S. 105–112.

Hellmuth Karasek, Sieg eines Idyllikers. Berliner Tagung der »Gruppe 47« im Literarischen Colloquium. In: Stuttgarter Zeitung vom 25. 11. 1965.

Joachim Kaiser, Drei Tage und ein Tag. In: Süddeutsche Zeitung vom 30. 4. 1966 (= in: Handbuch, S. 219–225).
Martin Walser, Engagement als Pflichtfach für Schriftsteller. Ein Radio-Vortrag mit vier Nachschriften (Hessischer Rundfunk 7. 5. 1967). In: *Martin Walser,* Heimatkunde. Aufsätze und Reden, Frankfurt 1972, S. 103–126 (1. Aufl. 1968).
Martin Walser, Für eine IG Kultur. Rede zum 1. Kongreß des VS 1970. In: *Martin Walser,* Wie und wovon handelt Literatur. Aufsätze und Reden, Frankfurt 1973, S. 67–75.
Gabriele Wohmann, Die Siebenundvierziger in Princeton – im Fluge notiert. In: Darmstädter Echo vom 3. 5. 1966.
Dieter E. Zimmer, Gruppe 47 in Princeton. In: Die Zeit vom 6. 5. 1966 (= in: Handbuch, S. 225–236).

Zum Konflikt im Umkreis der Princeton-Tagung:
Kunst und Elend der Schmährede. Zum Streit um die Gruppe 47. In: Sprache im technischen Zeitalter, 20 (1966).
Princeton und die Folgen. In: Handbuch, S. 401–445.

6.4.3. Pontifikale Literaturkritik

»Ein Preis wurde in Sigtuna nicht verliehen. Wäre es möglich gewesen, dann hätte die versammelte Kritik belohnt werden sollen. Noch selten in der Geschichte der Gruppe hat das Zusammenwirken der fünf Großen – Walter Jens, Hans Mayer, Marcel Reich-Ranicki, Walter Höllerer, Joachim Kaiser – so vollendet funktioniert wie hier.« (Vegesack, Synthese in Sicht, 1964, S. 193)

Hinter den zahlreichen Lobeshymnen für die »glänzende« Kritik blieben die Strukturprobleme und konflikthaltigen Potentiale verdeckt. Gegen die großdimensionale Kritik begann sich untergründig Widerstand vorzubereiten. Nicht nur die extensive Ausübung eines »öffentlich abgehaltenen Vorlektorats«, das beispielsweise Böll davon abhielt, junge Autoren noch zur Gruppe 47 zu empfehlen, geriet in die Kritikzone. Neben der problematischen sozialen Seite des Kritikverfahrens, das nicht nur in Sigtuna »einige junge Autoren« dazu veranlaßte, »enttäuscht und bitter die Tagung zu verlassen« (Vegesack 1964, S. 193), wurde in verstärktem Maße die grundlagentheoretische Seite der ritualisierten Literaturkritik problematisiert. Besonders im Zuge der Kontroverse um den »Tod der Literatur« stellte sich heraus, daß mit der Gruppe »die Prinzipien der Belletristik ebenso in Frage gestellt [wurden] wie diejenigen der bisherigen literarischen Kritik« (Mayer 1978, S. 54). Das vordem scheinbar unerschütterliche »Vertrauen« der Autoren in das Selbstvertrauen der unentwegt meinenden »Großkritiker«

ging verloren. »Negierungen der Kritik korrespondierten mit Absagen an die Belletristik« (ebd., S. 55). Hierzu hatte die Hybris des »erstaunlichen ästhetischen Vielfraßes« Gruppe 47 (Schroers 1965, S. 373) nicht wenig beigetragen. Zwar war das Thema einer Kritik der Literaturkritik der Gruppe 47 fast so alt wie die Gruppe selbst, aber in dieser Phase wurde begonnen, das Tabu, über literar-theoretische Grundlagen sich zu verständigen, schrittweise aufzubrechen. Es schien auf, daß im Schatten des sorgfältig gehüteten Theorie-Tabus und der stets verkündeten Maxime, man übe nur Kritik am Handwerklich-Technischen, an der Schreibweise, um so ungehinderter inhaltliche Präferenzen ebenso wie von der Kritik verwaltete Grundvorstellungen darüber, was den Namen Literatur denn überhaupt für sich beanspruchen dürfe, von den gruppendominanten Kritikern eingefrachtet werden konnten. Der Pluralismus, die gesamte Basis des Verfahrens, geriet in Zweifel.

»Was zwanzig Jahre lang unangefochtene Maxime der Textkritik und der ›freiwilligen Selbstkontrolle‹ gewesen war, als Gesetz, das alle Mitglieder der Gruppe 47 einte: die Begrenzung auf literarische Interpretation und Bewertung der vernommenen Texte unter Verzicht auf alle Argumentation außerliterarischer Art, war plötzlich unannehmbar geworden. Hinter dem bisherigen Einverständnis verbarg sich soziale Indifferenz. Wie sich der Pluralismus jäh als gemeinsames Festhalten an Spielregeln decouvrierte, so wurde hinter dem Verbot außerliterarischer Diskussion ein privilegienhafter Quietismus erkennbar.« (Mayer 1978, S. 53)

Gruppengeschichtlich gesehen stand der Höhepunkt der Literaturkritik wie er sich in Sigtuna zeigte, schon im Zeichen von Verfallserscheinungen. Er stellte den Wendepunkt dar von einer bloßen Oberflächenaversion gegen die pontifikale Kritik der Gruppe 47, die das literar-kritische Verfahren wie ein Hochamt zelebrierte. Es ging von da ab nicht mehr nur darum, in traditioneller Form personalisierend an der Erscheinungsform des Kritikers – »Persönlichkeit als Institution« – Kritik zu üben (so Heißenbüttel, Gruppenkritik, 1965), sondern das pontifikale Gebilde spätbürgerlicher Literaturkritik als Ganzes zu verwerfen (vgl. Piwitt, Klassiker der Anpassung, 1973). Die im Zuge der Studentenbewegung grundsätzlich angemeldete Kritik gegen das durch nichts als sich selbst rechtfertigende »Prinzip von Beeindruckung« einer »Druck- und Gravitationshierarchie« (Sonnemann, Institutionalismus und studentische Opposition, 1968, S. 17), das repräsentativ-demonstrativen Institutionsöffentlichkeiten innewohnt, wurde – im Zusammenspiel von gruppeninterner und -externer Bewußtseins- und Willensbildung – verschärft gegen die pontifikale Kritik-Institution der Gruppe 47 selbst gewendet.

Indem die Literaturkritik ihre Tiefenlegitimation sukzessive verlor, büßte die Gruppe 47 ihre Legitimation als Organ der Vorsortierung im bundesdeutschen Literaturprozeß ein, eine Funktion, die ihre Begründung eben in der Funktionsfähigkeit der Literaturkritik hatte.

Helmut Heißenbüttel, Gruppenkritik. In: Merkur, Jg. XIX (1965), (= in: Handbuch, S. 202/03).

Hans Mayer, Einleitung zu: Deutsche Literaturkritik, Bd. 4, 1978.

Ulrich Sonnemann, Der Institutionalismus und studentische Opposition, Thesen zur Ausbreitung des Ungehorsams in Deutschland, Frankfurt 1968.

Thomas von Vegesack, Synthese in Sicht. In: Stockholms Tidningen vom 16. 9. 1967 (= in: Handbuch, S. 189–193).

6.4.4. Ideologische Konstanten und Endstation der literarischen Gruppengeschichte

»Eben ein literarisches Profil hat die Gruppe nicht; sie ist literarisch immun. Diese Immunität hat die seltsame Folge, daß es in der deutschen Nachkriegsliteratur nicht zur Ausbildung spezifisch literarischer Gruppen, spezifisch literarischer Konflikte und, im soziologischen Zusammenhang damit, spezifisch literarischer Bindungen und Traditionen [...] gekommen ist.« (Schroers, Gruppe 47 und die deutsche Nachkriegsliteratur, S. 382)

Diese Skizze bestimmte präzis die sozial-literarische Folge des erfolgreichen Entwicklungsprozesses der Gruppe 47. Für sie selbst hatte die Tendenz zur nahezu unbegrenzten Ausweitung der von ihr akzeptierten Fülle an Schreibweisen, Stilen und Ismen-Resten in der Spätperiode negative Wirkungen. Was zwanzig Jahre lang sich als Vorteil erwiesen hatte, der strikte Verzicht auf ästhetisch-konzeptionelle Positionsbestimmungen und Richtungsvorgaben, mußte in einer gesellschaftlichen Situation, in der der Ruf nach Standortbestimmungen und Offenlegung der ideologischen Kassenbücher bundesdeutscher Institutionen laut wurde, zum Nachteil sich auswirken. Als die Gruppe, vor allem nach der Princeton-Tagung um politisch-ideologische ebenso wie literarische Positionsbestimmungen gebeten wurde, probte sie eine Zeitlang die Verweigerung, dieser

Prüfung sich zu unterziehen. Es stellte sich heraus, daß sie kein Bewußtsein von sich selbst sowohl auf der ideologischen wie literarischen Ebene hatte.

Gleichwohl besaß die Gruppe ideologische Verstrebungen, die unter dem Explikationszwang der Studenten- und sozialen Literaturbewegung zum Vorschein kamen. Auf der Ebene des »Menschenbildes« regierte eine temperierte Ideologie der Individualität, deren organisations- und ideologiephobische Begründungsgeschichte bis in die Sozialbiographien des frühen Gruppenkreises zurückreichte. Diese Ideologie bestand aus einem Ensemble »kontrapunktischer Setzungen«, die durch den skeptizistischen Grundzug der Gruppenmentalität ihre eigentümliche Tönung erfuhren. Das Fehlen konzeptiver Setzungen war es, welches die Gruppe in ihrer Schlußphase so anfällig für Dissoziierung machte.

In dreifacher Hinsicht war das Gruppendenken kontrapunktisch zugespitzt: gegen »Ideologie« als Form der Weltaufschlüsselung, gegen »Organisation« als Form der Wirklichkeitsordnung und gegen »Innerlichkeit« als Form des Wirklichkeitsverhältnisses. Diese Komponenten bildeten die ideologischen Konstanten der Gruppengeschichte.

Der »totale Ideologieverdacht« erschien als prinzipialisierter Ismen-Verdacht gegen Kunsttendenzen, die ideologisch-programmatisch sich zu Wort meldeten und als Mißtrauen gegen System-Denken in Philosophie und Wissenschaft. Die Skepsis richtete sich gleichermaßen gegen Ideologie, Theorie und Utopie, die als falsches Versprechen verworfen wurde (vgl. Kröll, Gruppe 47, 1977, S. 143 f.). Von diesem Ansatz her ergab sich die selbstverordnete Maxime ideologischer Neutralität. Für die literarische Geschichte der Gruppe resultierte hieraus wiederum ein literatur-historisches »laissez-faire«.

In der gesellschaftstheoretischen Dimension bildete die Skepsis gegen Inanspruchnahme des Einzelnen durch jedwede kulturelle, soziale und politische Organisation jene Grundkonstante, welche dafür sorgte, daß man stetig den informalen Charakter der Gruppe 47 zu erhalten und zu behaupten suchte. Die Gruppe sollte gleichsam ein Gegenmodell zu den »Blöcken der Macht« bilden. Der institutionskritische ebenso wie der ideologieverwerfende Impetus war erheblich beeinflußt durch Denkfiguren der Frankfurter Schule (vgl. Kröll, Profil der Gruppe 47, 1978). In gewisser Hinsicht besaß die Gruppe eine soziologisch relevante *poetologische Tiefenstruktur:* das »autonome Kunstwerk« als Widerstandsnest gegen die »verwaltete Welt«

(Andersch, Die Blindheit des Kunstwerks, 1956; Enzensberger, Einzelheiten II. Poesie und Politik, 1964).

Ergänzt wurden die Konstanten der Ideologie- und Organisationsfeindlichkeit durch die gleichsam korrigierende Konstante des Mißtrauens gegen die machtgeschützte Innerlichkeit, gegen die »zeitflüchtigen Esoteriker« (Schnurre). Erhalten blieb trotz gruppenspezifischer Verkümmerung der aus der Vorgeschichte der Gruppe ererbte Impuls, als literarisch-politische Intelligenz sich zwar nicht in die »Gehäuse der Ideologie und Organisationen« pressen zu lassen, gleichwohl aber sich nicht gesellschaftlich zu exterritorialisieren. Dies führte zur Leitvorstellung eines auf die individuelle Entscheidungsfreiheit gegründeten moral- und sozialkritischen Nonkonformismus, der prinzipiell machtsubstruktiv auftreten sollte. Siegfried Lenz Konzept der »Ein-Mann-Partei« kann gleichsam als Quintessenz des Gruppendenkens in dieser Frage gelten (Lenz, Anstekkende Gefühle, 1961; ders., Der Künstler als Mitwisser, 1962).

Die antikonzeptive Grundhaltung führte die Gruppe 47 über den Weg des literarischen Pluralismus in der Schlußphase zur literarischen Konturlosigkeit. Es gab nach 1964 kaum eine literarische Strömung, von der sie nicht für sich reklamieren konnte, daß sie in irgendeiner Form von ihr beachtet, ankristallisiert oder gefördert worden sei entsprechend dem von Hans Werner Richter 1947 im *Skorpion* postulierten Ziel, die junge Literatur zu sammeln und vorwärts zu tragen. Dem Formationsinteresse an einem literarisch-kulturellen Organ entsprach die zumal von Richter betonte Zielprojektion, den »Tumult der Stile« in der ersten Hälfte des 20. Jahrhunderts (Schäfer, Zur Periodisierung der deutschen Literatur, S. 99) zu domestizieren; d. h. das Erbe der klassichen Moderne für die Bundesrepublik anzutreten. Unter diesen Vorzeichen hatte es Folgerichtigkeit, daß, nachdem der Weg der Gruppe ins »Museum der modernen Poesie« zu Anfang der sechziger Jahre gelungen war, in der Spätphase das literarische Szenarium von den beiden Literatur motivierenden Grundfragen, »Wo bin ich?« (vgl. Reich-Ranikki, Nichts als deutsche Literatur, 1965) und »Was ist die Wirklichkeit?« (vgl. Schwab-Felisch, Lesungen am Mälarsee, 1964), bestimmt wurde. Die Tagungsgeschichte der Gruppe 47 holte auf ihre Weise die internationale spätbürgerliche Tradition der »Krise des Erzählers und des Erzählens«, Generalthema der »klassischen Moderne«, nach (vgl. Kröll, Gruppe 47, S. 140–147).

»Literatur im Dienste der Ideologiefeindschaft« (Mayer, Zur

deutschen Literatur der Zeit, 1967, S. 304) war der innere Leitfaden, der z. B. selbst die neo-realistischen Resttraditionen aus der Frühphase der Gruppe mit den Tendenzen der »konkreten Poesie« verband. »das wort ist ein unerklärliches geräusch, krank wurde der mensch daran«, hieß es in einem Gedicht von Ilse Schneider-Lengyel (Almanach 1964, S. 94), gelesen während der Tagung in Altenbeuren 1948. Das »Mißtrauen gegen das Wort« durchherrschte die literarische Gruppengeschichte von den neoveristischen Anfängen über die Literatur der »Pluralisierung des Bewußtseins« (Thomas/Bullivant, Westdeutsche Literatur der 60er Jahre, 1975, S. 9 f.), die Tendenz zur »sokratischen Selbstverkleinerung« in der Literatur der »Mutmaßer« (vgl. Schonauer, Literarische Werkstatt am Mälarsee, 1964) sowie in der Literatur der ich-zentrierten »Selbstentblößer« (Heißenbüttel, Anmerkungen zu einer Literatur der Selbstentblößer, 1966) bis hin zum »Skrupel und Mißtrauen ins Metier des Schriftstellers« (Becker, Gegen die Erhaltung des literarischen status quo, 1964, S. 15). Die literarische Gruppengeschichte spiegelte »die allgemeine Sprachskepsis, die die spätbürgerliche deutschsprachige Literatur insgesamt befallen hat« (Batt, Revolte intern, S. 270). Die Resultate der gleichsam entlang dieser »Sprachskepsis« produzierten unaufhörlichen Spirale literarischer Modulationen erzeugte auf der Oberfläche der Gruppenszene in der Spätphase eine literarische Konturlosigkeit, einen »Fleckerlteppich« (Walser), der aber in seinem literaturhistorischen Untergrund das Erbe der klassischen Moderne, alles in allem minus der realistischen Tradition der deutschen Exilliteratur, umfaßte (Zur Problematik der spektralen Breite der von der Gruppe 47 umspannten literarischen Strömungen: Dollinger, außerdem – Deutsche Literatur minus Gruppe 47 = wieviel?, 1967).

Der literarischen Gruppengeschichte im Zeichen des »belletristischen Zeitalters«, das in der Bundesrepublik zwischen den Jahren 1950 und 1966 aufblühte und eine nachgeholte Geschichte »ästhetischer Form-Revolten« modernster Art darstellte (Arnold, Innovation und Irritation als Prinzip, 1971), lag jene Prämisse zugrunde, die Gabriele Wohmann 1967 unversehens preisgab: »All you need is ... Literature.«

An der innerhalb der sozialen Literaturbewegung danach kontrovers geführten Diskussion um den *Gebrauchswert* von Literatur nahm die Gruppe 47 nicht mehr teil; sie löste sich mit dem Ende der belletristischen Selbstverständlichkeiten auf.

Alfred Andersch, Die Blindheit des Kunstwerks (1956). In: *Alfred Andersch*, Die Blindheit des Kunstwerks, Frankfurt 1965, S. 21–33.

Heinz Ludwig Arnold, Innovation und Irritation als Prinzip. Über Peter Handkes »Kaspar«. In: Akzente Jg. 18 (1971), S. 310–318.

Jürgen Becker, Gegen die Erhaltung des literarischen status quo (1964). In: Über Jürgen Becker. Hrsg. von *Leo Kreutzer*, Frankfurt 1972, S. 13–19.

Hans Dollinger, außerdem – Deutsche Literatur minus Gruppe 47 = wieviel? München–Bern–Wien 1967.

Helmut Heißenbüttel, Anmerkungen zu einer Literatur der Selbstentblößer (1966). In: *Helmut Heißenbüttel*, Zur Tradition der Moderne, S. 80–94.

Siegfried Lenz, Ansteckende Gefühle. Tolstoj und die Krise der Kunst (1961). In: *Siegfried Lenz*. Ansichten und Bekenntnisse zur Literatur, München 1972, S. 187–192.

Siegfried Lenz, Der Künstler als Mitwisser. Eine Rede in Bremen (1962). In: *Siegfried Lenz*, Ansichten und Bekenntnisse zur Literatur, S. 201–207.

Marcel Reich-Ranicki, Nichts als deutsche Literatur. In: Die Zeit vom 3. 12. 1965 (= in: Handbuch, S. 209–217).

Franz Schonauer, Literarische Werkstatt am Mälarsee – Kommentar zur diesjährigen Tagung der »Gruppe 47« in Sigtuna (Schweden). In: Frankfurter Rundschau vom 18. 9. 1964.

Hans Schwab-Felisch, Lesungen am Mälarsee. In: Frankfurter Allgemeine Zeitung vom 17. 9. 1964 (= in: Handbuch, S. 197–202).

Gabriele Wohmann, All you need is ... Literature. Die Gruppe 47 tagt in der Pulvermühle. In: Darmstädter Echo vom 11. 10. 1967.